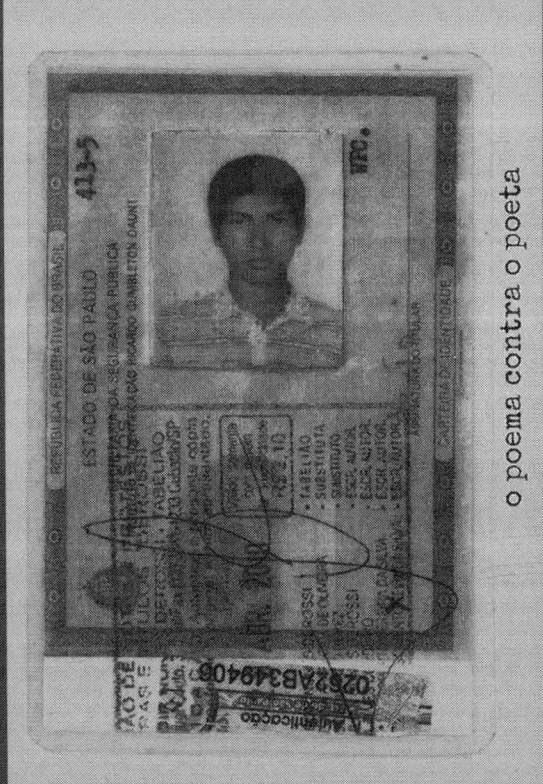

o poema contra o poeta

OU O SILÊNCIO CONTÍNUO

Marcelo Ariel

Copyright © 2019 **Marcelo Ariel**
Kotter Editorial
Direitos reservados e protegidos pela lei 9.610 de 19.02.1998.
É proibida a reprodução total ou parcial sem autorização, por escrito, das editoras.

Organização: Rodrigo Tadeu Gonçalves
Coordenação editorial: Sálvio Nienkötter
Editor-adjunto: Raul K. Souza
Projeto gráfico e editoração: Bárbara Tanaka
Fotografia da capa: Galvanda Galvão
Ilustração da capa interna: Felipe Stefani
Produção: Cristiane Nienkötter

Dados Internacionais de Catalogação na Publicação (CIP). Andreia de Almeida CRB-8/7889

Ariel, Marcelo
  Ou o silêncio contínuo / Marcelo Ariel. — Curitiba : Kotter Editorial, 2019.
  504 p.

ISBN 978-65-80103-06-5

1. Poesia brasileira I. Título

                                            CDD B869.1

19-0304

Kotter Editorial
Rua das Cerejeiras, 194
82700-510 | Curitiba/PR
+55 41 3585-5161
www.kotter.com.br | contato@kotter.com.br

Feito o depósito legal
1ª edição
2019

prefácio, 7

tratado dos anjos afogados, 19

retornaremos das cinzas para
sonhar com o silêncio, 187

com o daimon no contrafluxo, 263

jaha ñade ñañombovy'a, 369

inéditos e dispersos, 469

posfácio, ou, 489

PREFÁCIO
por Diamila Medeiros

Marcelo Ariel é poeta, performer, ensaísta, músico e dramaturgo, nascido em 1968 na cidade de Santos, no litoral paulista, e que atualmente vive em trânsito entre Cubatão (cidade para onde se mudou ainda na infância), São Paulo e outras cidades. Fundador e integrante de vários grupos culturais, como coletivos e companhias de teatro, Ariel tornou-se conhecido por suas performances que envolvem música e leitura de poesia.

Em 2016, o poeta foi tema da dissertação de mestrado em Estudos Literários, na UFPR, "Brutalidade, pós-produção, névoa" a partir da qual compusemos o texto que segue à guisa de prefácio desta antologia.

A questão do nome do poeta — enquanto representação de um "ser" ou um indivíduo encerrado em si mesmo — é um fator sempre questionado e questionável para Ariel, seja através de sua poética *dessubjetivada*, seja através de suas entrevistas: "Nome, prefiro o das capas dos livros no lugar daquele que consta nos documentos de identidade, que por sinal, não possuem quase nenhuma relação com a identidade profunda de cada um. As capas dos livros são o contrário das lápides" (Marcelo Ariel em entrevista a André Azenha). As capas dos livros, enquanto uma instância ficcional ou ao menos passível de ser construída, podem conter o nome que se desejar. Já nas lápides encontram-se as informações pessoais da maneira como foram registradas nas instâncias formais. Além disso, a lápide é o sinônimo da finitude, enquanto a capa do livro pode ser a possibilidade da eternidade. Por isso, Marcelo Ariel, em vez de Marcelo Rodrigues dos Santos.

Assim, a escolha do nome se estabelece como um índice importante, porque embora o artista mantenha o primeiro deles, altera os demais, utilizando no lugar o simbólico *Ariel*: um arcanjo importante nas tradições hebraica e cristã, mensageiro da voz divina em alguns momentos dos relatos bíblicos e até mesmo personificação da Terra Santa em outros. Desse modo, *Ariel* pode ser lido como um nome que se alinha a uma tendência religiosa, uma significativa ligação com o Deus do Antigo Testamento. Disso, poderíamos inferir que o poeta deseja se juntar a uma perspectiva já desgastada que coloca a poesia como uma mensagem divina e ele como o responsável por transmiti-la, seja a mando de Deus ou como o possuidor de uma verdade maior que as outras.

Apesar disso, não parece que essa leitura possa ser feita em relação a Marcelo Ariel. Pois, embora o nome venha da Bíblia, a tradição literária ocidental acabou por utilizá-lo em personagens que, mesmo ainda sendo "anjos", têm uma relação menos unilateral com o divino judaico-cristão. Dizemos isso, porque Ariel é também um "anjo caído" no livro *Paraíso Perdido* (1667) de John Milton e o anjo que acompanha Próspero em *A Tempestade* (1623), de William Shakespeare. Em Milton, Ariel se torna um anjo que deseja ser mais poderoso que o próprio Deus e, em Shakespeare, Ariel é uma figura relativamente menos importante, servo de Próspero, um *espírito do ar*, invisível, delicado e sem forma — criatura encantadora e dotada do dom da música, o inverso do monstruoso Caliban.

O que é inegável nas abordagens e utilizações desse nome é o fato de *Ariel* ser um anjo ou arcanjo (anjo de alta ordem). E, permanecendo ou não próximo de Deus, vinculado à terra ou ao ar, trata-se de uma criatura que evoca uma presença deslocada em relação aos demais, sejam homens ou criaturas igualmente míticas. Instaura-se, assim, uma *não-adesão* a qualquer um desses *espaços*, dotando o nome *Ariel* de certa indefinição.

Além disso, outra referência que pode ser suscitada pela escolha do poeta diz respeito ao célebre texto de Walter Benjamin, *Teses sobre o conceito de história* (1940). Essa é, inclusive, uma referência que o poeta utiliza em seu poema "Como ser um negro" (2015). Recuperando o trecho em que o autor alemão fala sobre o *anjo da história*, lemos:

"Minha asa está pronta para o vôo
De bom grado voltaria atrás
Pois permanecesse eu também tempo vivo
Teria pouca sorte."
Gerhard Scholem, Salut de l'ange [Saudação do Anjo].
Existe um quadro de Klee intitulado *Angelus Novus*. Nele está representado um anjo, que parece estar a ponto de afastar-se de algo em que crava o seu olhar. Seus olhos estão arregalados, sua boca está aberta e suas asas estão estiradas. O anjo da história tem de parecer assim. Ele tem seu rosto voltado para o passado. Onde uma cadeia de eventos aparece diante de nós, ele enxerga uma única catástrofe, que sem cessar amontoa escombros sobre escombros e os arremessa a seus pés. Ele bem que gostaria de demorar-se, de despertar os mortos e juntar os destroços. Mas do paraíso sopra uma tempestade que se emaranhou em suas asas e é tão forte que o anjo não pode mais fechá-las. Essa tempestade o impele irresistivelmente para o futuro, para o qual dá as costas, enquanto o amontoado de escombros diante dele cresce até o céu. O que nós chamamos de progresso é essa tempestade. (BENJAMIN in LOWY, 2005, p. 87)

Parece-nos que essa imagem do *anjo da história*, que olha para o passado e fica aterrorizado com o que vê, guarda forte semelhança com a poética de Marcelo Ariel. Esta necessidade de juntar os escombros está presente de forma significativa em sua obra, numa tentativa de dar sentido a eles através de uma espécie de resistência à passagem irrefreável do tempo e ao apagamento da história de barbárie de nossa civilização. A crítica ao progresso, que é o aspecto central da ideia de Benjamin, se efetiva em sua poética, uma vez que sua cidade, Cubatão, foi considerada uma representação de progresso e, ao mesmo tempo, a demonstração da ruína que, muitas vezes, o progresso instaura (não nos alongaremos neste assunto, mas cabe ressaltar que esta cidade não apenas foi residência de Ariel durante muitos anos, como também é significativa para sua obra).

Nas palavras de Herbert Marcuse, não somos todos responsáveis pelo Holocausto, mas sim pela memória que se constrói dele, sobretudo se pensarmos que a partir da "construção de uma memória" torna-se possível a ressignificação e ressimbolização desses eventos trágicos. Sob este aspecto, Marcelo Ariel participa de um *processo criador* diferente daquele que deu o sopro de vida aos homens. Seu processo é diretamente forjado na catástrofe, dando a ela outros significados.

Mais uma reflexão importante no que concerne à relação com o tempo, tal como delineada por Benjamin, e que não se pode perder de vista em relação a Marcelo Ariel, é o fato de ele ser um poeta *contemporâneo*. Embora certo "ajuste de contas" com o passado seja central em sua poética, o seu tempo é o presente no que ele guarda de continuidade e de afastamento com esse passado que o compõe. Giorgio Agamben, em seu texto "O que é o contemporâneo" (2009) expõe ideias que guardam considerável semelhança com a perspectiva de Benjamin, ou ao menos com a leitura que dela empreendemos.

Ao falar sobre o poema "O século", de Osip Mandelstam, Agamben reflete sobre o conceito de "contemporâneo". Para o filósofo, o poema em questão não é uma "reflexão sobre o século, mas sobre a relação entre o poeta e o seu tempo, isto é, sobre a contemporaneidade":

> O poeta [Mandelstam], que devia pagar a sua contemporaneidade com a vida, é aquele que deve manter fixo o olhar nos olhos do seu século-fera, soldar com seu sangue o dorso quebrado do tempo. Os dois séculos, os dois tempos não são apenas, como foi sugerido, o século XIX e o XX, mas também, e antes de tudo, o tempo da vida do indivíduo (lembrem-se que o latim *saeculum* significa originalmente o tempo da vida) e o tempo histórico coletivo, que chamamos, nesse caso, o século XX, cujo dorso — compreendemos na última estrofe da poesia — está quebrado. O poeta, enquanto contemporâneo, é essa fratura, é aquilo que impede o tempo de compor-se e, ao mesmo tempo, o sangue que deve suturar a quebra. O paralelismo entre o tempo — e as vértebras — da criatura e o tempo — e as vértebras — do século constitui um dos temas essenciais da poesia. (...) O outro grande tema — também este, como o precedente, uma imagem da contemporaneidade — é o das vértebras quebradas do século e da sua sutura, que é obra do indivíduo (nesse caso, do poeta). (AGAMBEN, 2009, p. 60-61)

A sobreposição do tempo do indivíduo e suas experiências ao tempo histórico onde se situam as experiências coletivas, e o trabalho de tentar soldá-los, suturá-los, evoca justamente a ideia de Benjamin em relação ao *anjo da história*. Este anjo olha para o passado a partir do presente e tem o desejo de "juntar os fragmentos" das ruínas que ele observa, diretamente de seu contemporâneo. Ao mesmo tempo ele tenta reagir à rajada de progresso, costurar e colar as vértebras desse tempo que o compõe e é composto por ele, simultaneamente. O poeta impede que o tempo se recomponha sem que haja uma reflexão sobre ele e é isso que vemos na poesia de Mandelstam, assim como na de Ariel.

Desde 2007, quando iniciou suas publicações em livro, o poeta já lançou mais de quinze livros, além de ter seus poemas publicados em revistas de arte e cultura, como *Germina*, *Babel*, *Zunái* e *Cult*. Participou de algumas antologias brasileiras de poesia como a da *Polichinello*, revista literária, em 2013, cujo tema era "Literatura Selvagem" e, em 2014, da antologia *É que os hussardos chegam hoje*, editada pela Patuá, entre outras.

Alguns de seus poemas foram publicados também fora do Brasil. Em 2009, na Alemanha, integrando uma coletânea de poetas latino-americanos que publicam em edições *cartoneras*, denominada *Mehr als bücher/Más que libros*, editada pela primeira *cartonera* alemã, a PapperLapPapp. Na França, em 2011, foi publicado no dossiê "Poètes du Brésil aujourd'hui" da tradicional revista *Action Poètique*. No México, em 2013, pela Kodama Cartonera, na antologia *Poesía para el fin del mundo*. E, também em 2013, em Moçambique, compondo uma antologia de poetas lusófonos da *Revista Literatas*, chamada *A Arqueologia da Palavra e a Anatomia da Língua*.

Antes de se dedicar mais continuamente à poesia, Ariel desenvolveu uma série de atividades como pedreiro e faxineiro e foi proprietário do sebo itinerante "O invisível". Cursou até o ensino médio e tornou-se leitor frequentando a Biblioteca Pública de Cubatão, fortemente influenciado por seu irmão mais velho, Orlando. No vídeo Titanic World Forever, produzido pelo professor da USP Mauricio Salles Vasconcelos, sobre a poesia de Ariel, o autor nos diz que a ele, dada sua condição social, só sobraram duas alternativas: a biblioteca (que seria o único elemento civilizatório da cidade, em suas palavras) ou o crime (para ele, o que construiu o Brasil, uma espécie de capitalismo de segunda ordem).

O poeta tem também uma significativa produção de textos para internet, via redes sociais, sites culturais ou através de seus *blogs* pessoais "Teatrofantasma" e "Para derrotar o real", apresentando diversos textos reflexivos, poemas, vídeos e fotografias. Parte da produção de Ariel publicada inicialmente em suportes virtuais vem sendo, aos poucos, incorporada em seus livros.

Ariel publicou, através de edições *cartoneras*, os livros *Me ENTERREM coM a MinhA AR 15 (Scherzo-Rajada)* (Dulcineia Catadora, 2007), *O céu no fundo do mar* (Dulcineia Catadora, em 2008); *Samba Coltrane* (Yi Yi Jambo do Paraguay, em 2009), *A morte de Herberto Helder* (Sereia Ca(n)tadora de Santos, em 2011); *A segunda morte de Herberto Helder* (21 Gramas de Curitiba, em 2011); *Cosmogramas* (Rubra Cartoneira Editorial de Londrina, em 2012), *Teatrofantasma ou o Doutor Imponderável contra o onirismo groove* (Edições Caiçaras, *cartonera* de São Vicente, em 2013); *A rainha do fogo invisível* (Rubra Cartoneira, em 2017), entre outras.

Ariel tem ainda os seguintes livros publicados através de volumes convencionais: *Tratados dos Anjos Afogados* (2008), pela LetraSelvagem; *Conversas com Emily Dickinson e outros poemas* (2010), Editora Multifoco; *Retornaremos das cinzas para sonhar com o silêncio* (2014), Editora Patuá; *O rei das vozes enterradas* (2015) e *A criação do mundo segundo o esquecimento* (2015), ambos pela Editora Córrego; *'La tendresse é uma ilusão' ou Bela Tarr* (2017), com desenhos de Fabrício Lopez; e *A névoa dentro da nuvem* (2017), pela Lumme Editor.

A obra

A literatura, entendida como uma força "emancipatória" e "sublimatória", é uma constante na produção de Ariel, a partir daquilo que o poeta teve como experiência, enquanto homem e artista, e enquanto um *corpo histórico* e um sujeito "de seu tempo". A *matéria poética* de Ariel é composta por vários temas, mas há um destaque para a abordagem de acontecimentos e situações que são facilmente classificáveis como exemplos de *barbárie*, não apenas no contexto brasileiro, mas em outros cenários históricos e culturais. É interessante olhar mais de perto para as maneiras através das quais Ariel *ressignifica* essa *barbárie* no tempo presente e apresenta junto a isso uma reflexão quanto a esse objeto em suas diferentes — ou semelhantes — modulações ao longo do percurso histórico vivido por nossa civilização ocidental.

A "entrada" desse fator na poesia parece se dar através de um processo de ressimbolização e de reapresentação do "real" dos fatos e acontecimentos do mundo e do tensionamento proveniente disso em relação aos limites da linguagem. Isto é, uma questão importante é a forma como Ariel transpõe para o discurso poético aquilo que ele contempla no mundo a sua volta. E, quando falamos em contemplação, não pensamos numa perspectiva inativa; ao contrário, trata-se de uma reelaboração capaz de se aproximar, efetivamente, daquilo que se estabelece enquanto um dado do mundo.

De antemão, podemos afirmar que um dos modos de expressão encontrados nessa poesia, ou ao menos uma das ambições do poeta em relação isso, diz respeito à busca por *não falar*. Por mais contraditório que possa parecer, pois Ariel tem um volume de produção considerável, o silêncio como uma alternativa desejada diante do absurdo do mundo se manifesta continuamente em sua poesia. Sobretudo porque ela é também responsável por inserir Ariel em uma tradição diretamente relacionada aos acontecimentos dramáticos do século XX, haja vista a produção de um autor como Paul Celan, mas também em uma tradição preocupada em questionar os limites e possibilidades da linguagem, em relação com o silêncio, como as poéticas de Sebastião Uchôa Leite e Orides Fontela.

No entanto, esses não são os únicos aspectos consideráveis em Ariel. Ao contrário, sua poesia se torna particularmente atraente porque a ela ainda se acrescenta um elemento do qual não podemos nos furtar a falar: o contínuo diálogo com outros artistas (escritores, pintores, cineastas, músicos), filósofos e pensadores, que se constituem não só como referências, mas como, mais uma vez, *matéria poética*, convertendo-se em citação direta no interior de seus poemas. Isso alinha o poeta a uma importante tradição poética, afinal, a poesia fala do mundo no que ele tem de belo e terrível; a poesia fala do silêncio do mundo quando a palavra se mostra ineficiente, mas a poesia fala, e muito, dela mesma.

Há uma indefinição quanto ao entendimento do *lugar* ocupado pelo poeta Marcelo Ariel. Ora é possível apresentá-lo como uma voz singular que o torna isolado de seus contemporâneos, ora como um "poeta de seu tempo", ou seja, alguém que se situa prontamente entre os *seus*, sem que haja uma determinação ou adesão a nenhum desses supostos extremos, configurando assim sua *não-adesão*.

Os poemas de Ariel não se encaixam perfeitamente em nenhum rótulo. Alguém que está aqui, hoje, tentando soldar as costelas partidas da memória de nosso processo de modernização precário e negligente, ao mesmo tempo em que transforma em matéria poética o suicídio de alguns de seus poetas preferidos. Constitui-se, assim, um tensionamento de nosso discurso sobre a boa poesia brasileira e seus signatários.

A "brutalidade jardim", resultado do embate do poeta com o *horror* do mundo, também compõe o olhar que se preocupa em escrever sobre a morte de grandes poetas e de traficantes; o silêncio de Paul Celan guarda semelhanças com o do menino que invade o poema enquanto fuma crack; o real das bibliotecas é tão potente quanto a realidade brutal da cidade na qual se vive.

Em Ariel, todos esses acontecimentos, cenários e "personagens" merecem um *comentário* através de um poema, mas sem que ele seja uma voz inflamada pela dor, pela cólera ou mesmo pelo amor, pela compaixão. Quase não há possibilidade de perceber o que *sente* essa voz poética em razão de sua dessubjetivação. Nós sabemos que o poeta é *tocado* por tudo isso pelo óbvio: a *escolha* em trazer como componentes de seus poemas *esses* temas, e *dessa* forma. Ou seja, pela opção de tocar com sua palavra e com sua linguagem cada um desses termos que o rodeiam através não de um relato, de um texto narrativo, mas através do *texto poético*, lugar onde a *palavra* tem a supremacia. Ariel entende essa *idiossincrasia* e se alinha junto de seus mestres na tentativa de empreender, ele também, uma reflexão sobre o que permite o seu trabalho: a *linguagem*.

Embora não seja ingênuo, a literatura é sua profissão de fé e a poesia uma promessa de mudança, devido ao fato de que entre ela e o real da vida não existe separação:

> (...) há uma nítida apartação entre os poetas e a realidade suja do 'em torno', que é no máximo citada como cenário dos poemas e não como centro de onde eles se irradiam, que é o que tento fazer nos meus, apesar da guinada maldita para a névoa metafísica (...).
> A poesia entra nesse contexto como um enfrentamento do vazio proposto por estes dois projetos de seqüestro, estupro e esquartejamento do espírito. O que encontrei no exercício da poesia foi, em poucas palavras, um sentido maior para o meu egoísmo. No fundo, o maior poeta de todos os tempos, o Qoélet, autor do *Eclesiastes*, estava certo: Tudo é vaidade, mas a poesia, quando é realmente vivida como uma verdade da existência do indivíduo, é capaz de dar um sentido elevado para o egoísmo e para a vaidade, um sentido que transcenda o mercado. Mas não só a poesia, a arte em geral, quando é autêntica e leva em conta a realidade exterior a partir de um centro interior, é capaz disso. Van Gogh não é um banco, Picasso não é uma marca de automóvel. (Ariel em entrevista para o escritor Nicodemos Sena)

A poesia é, assim, uma possibilidade de enfrentamento diante da barbárie, do vazio, da morte, ao mesmo tempo que se estabelece como o espaço no qual o poeta pode *comentar*, livremente, as fontes que compuseram e compõem continuamente seu percurso como leitor. O discurso poético é o lugar do qual Marcelo Ariel dispara sua metralhadora lírica.

Referências:

ARIEL, Marcelo. Como ser um negro. *Revista Desassossego*. São Paulo, n°13, jun/2015a, p. 148-155.

AZENHA, André. *Entrevista com Marcelo Ariel publicada no site Culturalmente Santista*, 2011. Disponível em: <http://culturalmentesantista.com.br/2011/09/marcelo-ariel/>.

AGAMBEN, Giorgio. *O que é o contemporâneo? E outros ensaios*. Tradução: Vinícius Nicastro Honesko. Chapecó, SC: Argos, 2009.

LÖWY, Michael. *Walter Benjamin:* aviso de incêndio – Uma Leitura das teses "Sobre o conceito de história". São Paulo: Boitempo, 2005.

MARCUSE, Herbert. Poesia lírica após Auschwitz. Tradução: Luís Gustavo Guadalupe Silveira. *Revista.doc.*, Ano X, n°07, 2009, p. 149-159.

SENA, Nicodemos. *A poesia fora de seu lugar oficial*. Entrevista com Marcelo Ariel. Site da LetraSelvagem. Disponível em: <http://www.letraselvagem.com.br/pagina.asp?id=78>. Consultada em 20/10/2014.

TRATADO DOS ANJOS AFOGADOS

"Um livro é um machado para o oceano congelado em nosso interior"
Franz Kafka

"Apaga-te, sésamo"
Waltércio Caldas

"É doce morrer no mar..."
Dorival Caymmi

I. Vila Socó: libertada

O ESPANTALHO

para as crianças

no meio do lixão

visão do alto

uma calça e uma camisa

São a
evocação do corpo
de um homem
sem sapatos

suas mãos

dois urubus rasgando um saco

sua cabeça

um rato

MOTO DESCONTÍNUO

A máquina de acordar
dentro da máquina
de respirar
A máquina
de falar
Dentro da máquina
de pensar
A máquina
de andar
Dentro da máquina
de se cansar
Na máquina de ser
A máquina de estar
Dentro da máquina de dormir
e sonhar com
A vida fora
da máquina de morrer
Na máquina de sonhar

CARANGUEJOS APLAUDEM NAGASAKI
para Gilberto Mendes & Mano Brown

(Vila Socó)
Corpos em chamas se atiram na lama
mulheres e crianças primeiro
caranguejos aplaudem Nagasaki
bebê de oito meses é defumado
enquanto Beatriz
agora entende o poema derradeiro
Beatriz mãe solteira antes de morrer deu um inútil pontapé na porta

No ar
gritos mudos
a noite branca da fumaça envolve tudo
alguém no bar da esquina
pensa em Hiroxima
nas vozes
horror e curiosidade acordaram a cidade
se misturando
dentro do inferno olhos clamam
por telefone
o ministro é informado
— O fogo os consome...
A sirene das fábricas não
silencia
Dois serafins passando pelo local
sussurram no ouvido
do Criador
"Vila Socó: meu amor"
Uma velha permaneceu deitada

em volta da cabeça na auréola
o último pensamento passa
o coro das sirenes
no meio do breu iluminado
uma garça voa assustada
com os humanos e seu inferno criado
no mangue o vento move as folhas

Um bombeiro grita:
— KSL! O fogo está contra o vento! Câmbio...

Foi Deus quem quis
diz o mendigo
que sobreviveu porque estava dormindo no bueiro da avenida.
Um orgasmo é cortado ao meio
quando o casal percebe o fogo
queimando o espelho.
Voltando no tempo
lamentamos
o movimento do gás
levíssimo iceberg
que converteu fogo em fogo, horror em horror

Vila Socó
estacionou na História
ao lado de Pompéia, Joelma e Andrea Doria
Pensando nisso
ergo neste poema um memorial
para nós mesmos
vítimas vivas
do tempo
onde se movimenta a morte se espalhando na paisagem

como o gás
que também incendeia o sol
(bomba de extensão infinita)

Beatriz sentou perto da porta e ficou olhando o fogo.
Até que invade a cena a luz suave de um outro sol frio
Fim de jogo.

(O que não queima)

Beatriz agora é outra coisa e contempla:
raios negros num céu negro
depois brancos num céu branco
suavemente penetrei num jardim
onde uma única árvore existe.

(O incêndio acaba e a garça pousa no mangue, onde os anjos sonham)

Naquela noite um acordou
andou no meio das chamas
e as chamas
o queimaram.

SONHO QUE SOU JOÃO ANTÔNIO SONHANDO QUE É FERNANDO PESSOA

Num subterrâneo Letes ou num Eufrates interno
Tocando ramos de invisível água ou fazendo círculos com pedrinhas atiradas num Tejo etéreo
Não importa...
A quimera-esfinge me espera em todas as margens tendo à sua direita Sá Carneiro e Antero que riem do riso de Cérbero, quando por eles passo, sou acordado e como se sonhasse vou ao encontro de Adília Lopes que está dançando nua na fonte cercada por uma auréola de baratas brancas, Adília me aponta uma carreira de formigas subindo aos céus, onde nuvens formam o rosto de Dante, sentado cá embaixo e desta vez desperto, vejo um anjo torto de oito asas lendo perto da casa de Adélia Prado. Sabendo da existência de uma igreja ali defronte, pergunto ao anjo: "E aí, meu irmão, veio pra missa?". O anjo diz: "Não, eu vim pelas formigas". "E Deus?", volto a perguntar. "Está lá ouvindo Bach". Vou até a igreja, empurro a porta e entro num terreno baldio onde anjos sem asa jogam bola com moleques sem camisa, todos muito felizes como se realmente existissem.

CATÁLOGO DO FIM:
PENSANDO EM KLIMT E GOTTFRIED BENN
para Laura Erber e Sebastião Uchoa Leite

chuva
Paro
olho
na porta
Formiga carrega outra
Garota se molha

chuva pára
Saio fora
A luz da lua
também

carrega noite
nas costas,
A água quer a roupa
Etérea,
nem sinal da alma,
no lugar
bico dos seios
sempre à mostra

Ela
Leda sem cisne
segue
Cabeça baixa

Atrás
Quixote-Sade
20 anos
em bicicleta roubada
cantando
Racionais:
'O homem na estrada'
Outro dia
Nos intranquilos sonhos

(descrição)

Quixote-Sade
Carrega garota nas costas

Bicicleta joga no rio
Os dois
Pulam
afundam
sobem

Até a lua

Tudo é nada
em morte-amor
A terra explode.

O REFLEXO

O espelho
Não é uma fronteira
Cercada de luz
Se parece mais com o que divisa um lago

Ou com a imagem da nuvem que toca sem tocar
esse lago do nosso olhar.

A REVOLUÇÃO
para Francisco Alvim (após ler seu livro 'O elefante')

Acordo
Entre vizinhos
Um acorda
Meia-noite
E diz bom dia
O outro acorda
Meio dia

(Os dois enterram as armas no quintal)

A PERGUNTA E A RESPOSTA

Eu sou a metáfora de uma galáxia ou a de um átomo?
A resposta da alma é o silêncio.

A PERGUNTA E O MITO

Diante do insolúvel
Invento
'nazificar'
(um verbo maldito)
pensando no
Ozymandias
De Shelley e no de Alan Moore
E consigo 'ler' em Camus
Não um grito
Mas o improvável
Um riso
Em Sísifo.

ECO

Narciso é como o mar nos olhos de um gato
Beijando seu corpo inteiro como se fosse outro
Seu olhar Eco dispersa
Ele vê no mergulhar em si uma resposta intensa
Eco permanece vendo num morto ainda vivo
Um suicídio-amor sempre adiado
À beira daquele olhar-lago.

A REUNIÃO

Para o leitor
é a burocracia-morte
avançando
enquanto a vida explode
ao meu lado
como uma revoada de pássaros
ofuscando a reunião.

A COSMICIDADE DE TUDO

Para dizer o mínimo
não adianta
procurar no dicionário
algo equivalente *ao real*
O silêncio é extraterrestre
e humano
(mais do que nós)
apesar do som dos planetas
no centro disso
os átomos, os anjos
e outras metáforas
do vazio ou do insolúvel *permanecem...*
Imagine uma piada
como essa
tão longa que morremos antes
que ela acabe
e o universo inteiro
espera seu fim
para rir
da nossa cara
com a mesma
indiferença
com que nos vê
através das estrelas

VILA SOCÓ LIBERTADA

(depois do fogo)
no outro dia
(sem poesia)
as crianças (sub-hordas)
procuram no meio do desterror
botijões de gás
para vender,
um menino indianizado
encontra uma geladeira
pintada por Pollock
dentro o cadáver de uma grávida
incinerado
com a barriga estourada
a mão do feto
devorado
(por Saturno)
atravessa as tripas
sai para o *fora do fora*
ali ao lado
onde o silêncio do menino
é calmo
(a quietude neutra avalia o inconsolável)
um jornalista
a cem metros do projeto
caminha
(a câmera-sombra focando um canto)
atrás dele
um rapaz
que julga ver nos escombros

um Lázaro
ele corre e ao agarrar um braço
o braço vem junto e ao ser largado
no ato
por um instante entre o chão
e o espaço é fotografado
pelo pai de um
dos meninos do gás

na foto revelada:

uma realidade
desfocada
(sem mortos, vivos ou paisagem)
tudo é uma névoa-nada.

PRAÇA INDEPENDÊNCIA-SANTOS

Por que esse anjo não grita?
(Para acordar os corredores-sonâmbulos
que atravessam a avenida.)
Ela dança em volta dos corredores-mortos
(Do shopping-center)
Onde a outra sede se esconde
Enquanto o Sol se apaga
(Clonado na tv digital do celular)
como os sons de uma catedral desabando
ecoam no ar
condicionado
(os corredores estão sonhando
com si mesmos)
No vidro,
sonhando com algo menor refletido em outro
na vitrine,
outro com tempo para lembrar
de coisas para comprar
como a sensação de nunca
ter
visto um pássaro
olhando
nos fios os fatos
projetados sem ênfase
(ou existência)
comprar um lanche barato
olhar no jornal
uma estrela
engole um planeta

engole outra
ou concorre ao Oscar
notícias rápidas
como carros
na velocidade do desespero
eufórico,
os corredores
(dentro & fora)
param
para atravessar o sinal
em tempos diferentes
(cérebro-metrônomo)
passam de novo pela estátua
com seu grito
gravado nos olhos
de novo
na praça-túmulo
pela Supernova imóvel
no jornal
(para uso microscópico)
pelos adolescentes
parados no velório cômico
do 'cardume' de carros
com crianças velhas, galáxias, tudo gritando
só o louco ouvindo os gritos

(o grito congelado dentro da estátua
transformado em Deus congelado dentro do riso do louco
como respostas congeladas dentro do Sol
que não pára de gritar ou cantar)
o Sol sonhando com o sono do anjo.

JARDIM COSTA E SILVA-CUBATÃO

(Antes da unificação dos comandos)

No meio de um eclipse
(da memória)
O Sol
(Um traficante morto nos anos 80)
pergunta as horas
para meu irmão louco,
enche um copo com Vinho
Sangue-de-boi.
Na esquina às três da manhã
Mostro para ele
Um disco do The Who
Quem?
É o nome da banda
eu digo
ele ouve no meio do deserto,
amanhã
Draculino
(Outro traficante)
dará um encontrão no Sol dentro
de um supermercado
na seção de biscoitos
motivando talvez
'o oco' de um boato ou assassinato,
meses depois
o Sol na UTI
vai para o fundo
do mar escuro.

Para comemorar
o delegado
oferece um copo de conhaque
para o *avião da morte*
e olha para mim
pensando em nada,
Draculino é preso
ainda dando as cartas,
antes de ir dormir
(Jogando buraco)
continuem esse jogo,
ele diz...
(Depois no pau de arara reza:
Porra, não fui eu que matei o Sol, foram os homens.)
Draculino é solto
passa na rua e reza de novo para o ar:
É a maior injustiça.. o Sol morto e
os homens vivos.

CARANDIRU GERAL

um átomo do Hades
habitado
por sobreviventes de Canudos
incontados
aqui estão
na escola dos kamikases,
a mente convertida em faca
o olho em bala
todos gado
60 numa sela para 20
dormem duas horas por dia cada
a lei no silêncio
acordada defende
o direito quântico de matar
ali um que nunca leu nada
só na tatuagem a inscrição *Amor-de-mãe* na pele-lápide
lá fora
o insolúvel
a hora errada
alimenta os comandos
(o medo empresarial de mãos dadas com a Besta do Estado Assistencial)
ali num outro canto
o Poeta Hélio
preso com uma camisa do PT
por ter ido buscar coca na esquina
o inferno dele
nada para ler
ou escrever
ao seu lado

um anjo caído de três cabeças
oferece um cigarro
o nome do anjo:
PCC
'um dia todos os comandos vão se unir e dominar geral'
diz uma das cabeças
'pode ser a revolução'
diz o poeta depois
ao me encontrar
num bar
fora da prisão-Styx
'lá a degolação é a tese e a matança é o processo,
a contabilidade é um degolado por noite'
Aqui eles têm tempo...
'o problema é espaço...'
conosco é o inverso...
(O outro comando, o da lei ouve a voz bífia
do Poder ordenando *a transferência do terror*)
Em toda parte Hamurabi é o Senhor
suicidado o Poeta troca a cela por um bar
e silencia...
Na cela esquecida o degolado ria
quando era um cadáver vivo
agora no presídio abandonado
(futuro centro cultural?)
a cabeça degolada é a flor do mal.

CENA

Vila Parisi transplantada
Para dois quilômetros
de onde estava
do nada ao nada
prevalece a lógica engrasádica
Em outra (a do terror)
espelhada
visito no sempre ontem
uma favela num bloco
verticalizada
(Pós-Bauhaus?)
projeto de um Speer adestrado
amante da desgraça,
de dentro gangues de moleques
vomitadas escrevem
a arte do assassinato
como um videogame
no corpo do ex-lugar,
pontos de uma acupuntura macabra.
'Na semana passada atearam fogo
numa banca de jornal'
onde um policial
havia parado para acender um cigarro
e perguntar o número de uma casa.
Em seguida
a dona na banca
queimando as sobras na praça
gritava
— 'Ninguém toca em nada...'

Um aposentado
aplaude com o olhar
'O dinheiro é o culpado'
sussurra a sombra de um ex-anarquista
com medo de ser caçado.

O BODE

Ao me ver na tv com uma tarja
onde se lê: 'Poeta'
para os meus vizinhos
a marca ilumina um sentido,
antes não sabiam
por que eu estava vivo
(o clone-fantasma, uma espécie de Joe Gould morando fora do círculo)
meu vizinho da esquerda
me pergunta sobre
o bode 'Lé'
e comenta que na infância
'usava as cabras'
retruco que o bode era um poeta.

Uma outra evangélica
ouvindo tudo pela metade
cita o asno de Balaão.
Respondo que preciso
'ir até a Bíblia e já volto'.
O das cabras
diz que antes os
'animais falavam com Deus
e eram sacrificados por isso'.
Completo:
'Hoje vivem como nós num proto-inferno'
(em algum lugar o bode sorri para Baudelaire)
volto e meus vizinhos
estão mudos e angélicos
como as roupas balançando no varal.

COMO AS PALAVRAS

Duas crianças brincavam de formar uma névoa de distanciamento
e ver o outro como um estranho

A névoa era feita de perguntas

Por trás da névoa a paisagem de símbolos e sinais escondidos no mundo

se move dentro dessa micro-física óbvia como as anulações do tempo ou o silêncio

crescendo em volta do seu olhar a paisagem

amorosa se dissolve na névoa

como um comprimido efervescente

jogado no mar

para encenar 'A morte do Sol'

Eu só preciso perguntar o seu nome

e então começamos a brincar com o que nos falta...

COM MILES DAVIS NA SERRA DO MAR
para Sílvia Guedes

Realmente a música
muda a alma
como se nossos olhos
no momento em que vamos
morrer se voltassem
para dentro
e vissem dentro da névoa
prateada a luz se quebrando
em pedaços
como os dias
nascendo no meio
da noite
dançando em sonhos
para nós
como essas
folhas dançam
a música.
Como o céu que dança para si mesmo
Sem a nossa presença
e depois se apaga.

O ENIGMA

Será sempre
este esquecido alfabeto
cujas letras são nuvens,

tocando suavemente o nosso olhar
e os lagos?

O que diz a água
dentro dela antes de tocar a terra?

O que sussurra no ouvido da água o ar?

Como decifrar essa chuva imóvel para os mortos?

E essa outra chuva que escreve vida no ar?

POETA EM CUBATÃO

num céu que não nos protege
contemplando a procissão dos falsos replicantes
sendo sugada pela interzona industrial
cercada de favelas
pétalas dessa flor do mal
ouvindo o sino de fogo de Rimbaud
(que aqui seria só mais um desempregado carregando o
pólen da morte
flor enorme e cósmica
desse jardim das trevas
onde os nomes das cidades ou dos Poetas
serão nada)
Um sol negro irradia esse silêncio atômico
Voltando ao poema
ponto final do ser,
a besta pára
na Praça Euclides Figueiredo, desço
entro na Rua Camões e sigo pela
Machado de Assis.
Amém.

O AMOR

No ultra-sonho

estar sendo é ter sido

onde um polvo

epiléptico feito de dois corpos

procura em vão

a luz entre carcaças

depois se transforma

num transparente e maravilhoso

pássaro cego.

PARADOXO

a enfermeira comenta sobre os fetos que ficam no útero muito além do tempo necessário, suas unhas crescem e como são finas, eles se cortam no rosto, sua pele descola do corpo, eles evacuam e depois de comerem as próprias fezes sem terem nascido morrem e apodrecem.

RIMBAUD ROCK

É o nome da banda
No auge

do centésimo show
os músicos tocam

fogo no próprio corpo
no meio

de uma versão de 'Purple Haze'
com trinta segundos.

Logo após a platéia
de onze mil adolescentes vai embora

mascando chicletes de cocaína.

Um deles de 13 anos comenta:
"Não eram eles, era um show holográfico."

"E o cheiro de carne queimada?"
Outro comenta.

"Era o pessoal da primeira fila"
alguém responde.

ONTOLOGIA & MERDA

entre o caos de Pirandello e o de Pasolini
invade o poema um menininho fumando crack na esquina
dentro da vida cínica
entre o caos de Afonso Henriques Neto e o caos convertido em teatro fatal
pelo menino
penso em dar um tiro de misericórdia
nos poemas
poemas são a merda da alma
e o tempo é uma lenta bala perdida, me diz o silêncio do menino

II. Scherzo-Rajada

ALICE NO PAÍS DAS MARAVILHAS
versão do diretor

Estou
no Inferno?
Não,
é o Carandiru
e faltam
5 segundos para o
massacre dos 111.

O SOCO NA NÉVOA
para Mariana Ianelli & Marcelo Chagas

Fumando uma ideia
Dentro desse açougue
Metafísico:
É quase
Impossível
Não-pensar
no paradoxo quando
Irrompe
nas esquinas,
A humanidade,
Com a sua
Corrompida
Verticalidade,
Que jamais
Se tornará o diamante
Sonhado pelo Ser
Bento Prado Jr.,
Se proliferando
Como a imaginação *paralisada*,
Como o som da chuva
Atravessando gerações
De nuvens até *Ser*
Ofuscado por essa
Matéria escura
Do Sr. Klee:
Impossível não-pensar
Nisso ao vermos
A turba exilada

Em pedaços
De carne
Sem nenhum "êxtase" ou os
Incontáveis
Mortos que imitam
A concha
No ácido
Do "Sublime"
Carvão
Do Eu:
(Um assassino se escondendo no interior do tempo)
Enviando *A essência*
Franqueada
Para campos de concentração
Dentro "Do Sol"
Cantando o *infinito*
Foda-se:
Impossível não-pensar nos olhos
Do Saturno de Goya
No rosto do "*Ou o poema contínuo*"
Mirando os raios
"estes"
Que escrevem
Um cachorro morto
No céu:
Impossível NÃO-PENSAR
No Mozart quântico
Que mora no fundo
Da *Multidão-sono*
Como uma mônada-semente
Que não
Vinga

Apodrecendo
No jardim esquizocênico,
Nas balas perdidas,
No perfume
das granadas
explodindo no bar
das Parcas:
Num Eclipse-invertido
seguido de uma chuva fina *por dentro*
do olhar
da criança recém-esquecida
nesse bar-iceberg para o *'Bateau-Ivre'* no sangue
dos amantes-kamikases
(Não há outros?)
Habitando como Mozart o fracasso da fusão
do um em um
(Nuvens de vapor)
No céu de Titanic-World.
Impossível não pensar no fracasso invisível
dos cadernos de cultura
onde o tédio de Camus
encontra o de Valéry
e ambos são dissolvidos
pelo olhar de um catador de papel
às quatro da manhã
na portaria da USP,
apenas um esqueleto
de vento
comenta essa idéia esquiva,
enquanto ainda sonhamos
com a devolução
das nossas auroras roubadas

(com o cheque-sem-fundos do carinho entre estranhos),
Não pensar na Covardia disso:
A visão de um catador de papel
neutro-efervescente totalmente anulado
pelo primeiro círculo,
nem na covardia desse falso poema
Da *ficcionalização do encoberto*
Ou em outras nadificações
que alimentam
em nós
o olhar de Saturno
e o desejo
por carnificinas
tão banais
que equivalem
a ouvir
no cinema
um celular tocando
no meio do filme,
como um veneno para o sentido
oculto *nas vozes dos atores,*
ANULANDO,
não as chacinas,
mas a intensidade das ausências,
como um grito
Em Bach:
(Pausa para uma pergunta:
É melhor continuar
Sendo
o fantasma de um poema ou *em um poema*?
Ou outra pergunta?)
Que se abre

no sono-dos-sonos
da superficialidade
nessa massa flutuante
de anti-seres
onde alguma coisa há
indo de encontro
ao nada-absoluto
Que não-há:
É impossível não pensar no pouco tempo que nos resta
para tentar
voltar ao outro,
ao <u>outro agora:</u>
(Impossível não pensar na gratuidade),
Onde o Sol nasce pisando nas nuvens
para vomitar sua luz
no banheiro sujo
da humanidade:
(Da Mente: Esse oceano imóvel?)
Não pensar nessa chuva
De satoris falsificados
através do sonho
das multidões:
Nem na implosão dos cemitérios
verticais <u>da arte</u>
criando um gigantesco
"anti-smog" para o sono dos sentidos:
Não pensar no cansaço da visibilidade,
Na inauguração da fábrica de suicidas-amadores,
(Não há outros?):
Na essência evaporada
passando pelo buraco da agulha
e desaparecendo

no brilho surdo
da película de Berkeley:
Podemos ouvir
Nos ossos
A voz
do grão de areia
cantando o nosso nome
para o azul,
Na tela 'Solidão' de Iberê Camargo,
<u>Não pensar no pouco tempo</u>
para projetar nosso riso
na festa dos cadáveres
sem centro,
Isso equivale ao sono desesperto
na saída de um baile-funk
ou ao sono-alegre
de uma festinha universitária?
Em ambas
erguemos um brinde seco
para o véu do corpo
enquanto a verdadeira festa móvel
dos galhos
avança pelos destroços
da calçada
até alcançar
os do asfalto,
ali os pneus
dos carros cantam um ária
dodecafônica,
para as marcas
das calcinhas
nas bundinhas

das mãezinhas
de 13, 14, 15, 16, 17, 18, 19, 20 e 21
que rebolam
para o sempre
e o mesmo,
opaciadas por essas
minúsculas
asinhas de Ícaro
quebradas e retorcidas
em seus ventres,
como sequestrados em porta-malas,
crianças que irão cair
para *o sempre*
e *o mesmo*
rútilo vaso sanitário
do projeto humano:
Uma biblioteca deserta
nos subterrâneos de uma igreja gótica
abandonada:
Enquanto isso,
um bêbado canta um hino
que mistura os hinos
do Corinthians e do Flamengo
com o Hino Nacional
e o resultado parece mais autêntico
do que o *País em si:*
É impossível
não pensar
em esculpir
um cão negro
nos restos dessa criança
jogada na vala

do silêncio
ou na gaveta de cimento
das cintilâncias cinzas:
(Essa é para o Sr. Auden:
O cemitério da memória
transcende a ficção dos fatos?)
Posso ouvir sua voz ecoando NO JARDIM:
"Por exemplo:
Em HAMLET
É fácil notar que o amor e a morte
possuem a lógica de um assassinato, com uma sutil e única diferença..
No amor a ausência é evocada
Para tentar materializar
O fantasma de UM VIVO"
Na morte a vala do silêncio explode
e amplia o meio do rosto,
pétalas caem para dentro:
Por que não conseguimos contornar o nada com nossa mudez?
E há um não-grito caindo
no piso
do Banco Dostoievski , do banco Van Gogh,
do Hotel Proust,
um não-grito no cemitério clandestino do universo...
(*Ainda estou no açougue-presídio, a chegada da tropa de choque, não me acordou*
do metafísico...)
É impossível não-comparar
A chegada da tropa de choque
com a inércia dos anti-corpos:
Não pensar em Simone Weil
Se esquecendo
De Jesus
no meio da chuva:

"E se a partícula pensa."
Ela pensa:
Também choveu no banho de sol
interrompido
pela rebelião em volta do presídio
de segurança máxima,
centenas de teresas em chamas,
"Formam uma flor"
....
"São os comandos de um lado e as facções do outro"

Ela está pensando,
dentro da cabine do helicóptero
da polícia ou da CIA
(Que diferença fará?)
"As coisas não são tão simples"
Pensa a policial:
"Nem mesmo são coisas.. Como podem pensar?"
Simone Weil diz para a chuva,
A mesma chuva que dezenas de anos depois
molha o visor do capacete dos soldados:
Simone Weil passa por mim e entra
Na fábrica:
Esqueça a tropa de choque, procuro pensar
como as partículas de Píndaro
pensar nos mortos
que sonham conosco
quando estamos acordados,
Pensar no fantasma do universo,
nos raios desse fantasma,
em Cy Twombly
desenhando o canto dos pássaros

dentro do açougue
Em Mozart,
"É melhor não..."
me dizem as partículas-Bartleby
"O nome do jogo é sonhar"
"Pode ser uma bela inversão da lógica da morte"
Ao tentar não-pensar penso, logo, sonho:
"Sonho com Chet Baker fumando um cigarro
na sacada do hotel, antes de cair... Com minha mãe morta me acordando...
Sonho que não existo...
Sonho com Baudelaire me dizendo que:
"A vida humana vale menos do que uma fábula de Akutagawa",
Sonho que Bogart e Camus são a mesma pessoa,
Sonho que Miles e Coltrane estão tocando com os Beatles,
Sonho com Jorge de Lima lendo 'A Invenção de Orfeu' para Brian Wilson,
Sonho que sou um peixe de gelo
e lentamente me transformo num peixe de fogo,
Sonho que acordo e não me lembro onde deixei meu corpo,
Sonho que acordo e não me lembro de ter acordado... e as duas sensações
são a mesma,
Sonho que posso enxergar a energia do silêncio,
Sonho que acordo fora do sonho e pergunto:
Pergunto ao silencioso inferno-que-não-funciona-direito,
Pergunto ao alto fundo dos oceanos,
Ao imóvel fantasma do universo,
Pergunto para as paradas cardíacas,
Para os buracos negros das balas,
Para o brilho e a fumaça dos pneus queimando
<u>Meu Corpo,</u>
Para os soldados de 13, 14, 15, 16, 17, 18, 19, 20 e 21 cantando e dançando em
volta da fogueira,
Para a escuridão das covas vazias,

Para os espaços livres da minha presença,
(Infinitos ou não... Que importa?)
Pergunto anulando o não-grito:
"Se não há tempo nenhum, em lugar algum, que estranho anti-sonho é esse,
Onde nada revela sua essência e propósito?"
E a resposta, meus caros,
É como um soco
tão forte, que me joga para fora,
tão óbvia, que me recuso a escrevê-la,
apenas me levanto
dentro de mim mesmo
em algo que jamais senti
ou pensei antes
e entro na Névoa.

CADENZA DOS COMANDOS OU PCC FOREVER

1. Ode ao bombeiro assassinado

"Esta vida de pedra e nada"
Pedro Nava em carta ao poeta Sérgio Amaral Silva

Sim
de pedra
e nada,
se dissolvendo
no tempo,
o único que
a utiliza
a contento,
desfazendo a pedra
e deixando intacto
o nada.
Impossível essência de sua matéria,
que sonha
com sua morte
através
da escuridão
dos infinitos
espaços
que entoam seu nome:
Eis o fogo do silêncio.

2. Marcola: O Duplo-Lenz...

"Aprendamos a lição! Nada se fez até agora com base apenas no fervor e na espera. É preciso agir de outro modo, entregar-se ao trabalho e responder às exigências de cada dia — Tanto no campo da vida comum, como no da vocação, esse trabalho será simples e fácil, se cada qual encontrar e obedecer ao demônio que tece as teias da <u>sua</u> vida."

Max Webber em 'Ciência & Política'

Um personagem do *Pickpocket*
que atravessa no escuro o Inferno de Dante,
o refém do estado onincompetente,
é meu negativo,
Um Lenz-duplicado
em sua fusão
com os ex-poetas exilados por dentro,
de certo modo é ele quem provoca
pequenas ondas e irradiações
como uma pedrinha atirada
na água-parada.
(Em São Paulo-SP)
Uma pequena simulação de uma sombria revolução molecular
na segunda burocrática.
(Ah, os dias do mercado, as semanas e seus véus para encobrir
uma guerra-civil subterrânea)
Eles serão rasgados.
Depois do carnaval, a Copa?
Escutai, nenhuma trégua nos aguarda.
Não falai mais em esperança...Ó! Vós que governais...
Esperança é o caralho!
O que escreve poemas, profere a sentença

do fundo do balcão de negócios:
A polícia é o dragão de três cabeças.
Os comandos são a cauda.
O que escreve é um poeta enterrado em Marcola
como Dante em Savonarola...
À direita do dragão:
Advogados e seus chicotes de retórica...
(A mesma desde Quintiliano)
Inútil para acalmar o dragão de setecentas asas
que se arrasta no deserto do 'Humanitas' Kantiano...
(Brasília-DF)
Por duzentos reais
Advogados-romanos compram um dos ecos
da minha voz
lendo Santo Agostinho
dentro do Titanic-Negreiro
(Brasil-América Latina)
O resultado:
No New York Times
 a visão de um ônibus em chamas
envia um nítido
'Vão tomar no cu!'
ao mundo inteiro...
Esse ônibus, meus irmãos
é uma ilha em chamas
no canto 12 do purgatório...
À nossa esquerda
Kafka conversa com Hitler
no celular
e isso será multiplicado...
(A avenida Paulista evolui para uma elipse e é invadida pelo vazio das quatro da madrugada)

Toquemos
Os coros invisíveis de Stockhausen
para os cães no futuro
jardim dos doze mil comandos.
No lugar de 'Ordem e progresso';
se escreverá:
VIVA A POPULAÇÃO CARCERÁRIA!

CADENZA DOS COMANDOS 2

"Ao incorporar a este poema trechos do estatuto do PCC e da carta de um de seus fundadores Misael da Silva estou apenas tentando provocar uma reflexão sobre os recentes acontecimentos que são a consequência de um grande e grave conflito entre os altos negócios desta facção e os altos negócios do Estado que por omissão, corrupção, conivência ou incompetência às vezes se torna um Estado criminoso..."

'Este jogo cômico e bruto
Quando há de acabar.'
Baudelaire

'Enquanto crianças morrerem de fome, dormirem na rua, não tiverem oportunidade de uma alfabetização, de uma vida digna, a violência se tornará maior. As crianças de hoje, que vendem doces no farol, que se humilham por esmola, no amanhã bem próximo, através do crime, irão com todo ódio, toda rebeldia, transformar seus sonhos em realidade, pois o oprimido de hoje será o opressor de amanhã.
O que não se ganha com palavras se ganhará através da violência e de uma arma em punho. Nossa meta é atingir os poderosos, os donos do mundo e a justiça desigual... Se iremos ganhar essa luta não sabemos, creio que não, mas iremos dar muito trabalho, pois estamos preparados para morrer e renascer na nossa própria esperança de que nosso grito de guerra irá se espalhar por todo o país...
SE TIVERMOS QUE AMAR, AMAREMOS; SE TIVERMOS QUE MATAR, MATAREMOS.'
Misael da Silva, carta escrita em 1995

'O importante de tudo é que ninguém nos deterá nesta luta porque a semente do Comando se espalhou por todos os sistemas peninteciários do Estado e conseguimos nos estruturar também do lado de fora... Conhecemos nossa força e a força

de nossos inimigo. Poderosos, mas estamos preparados, unidos e um povo unido jamais será vencido.'
Estatuto do PCC

Fonte: Revista Caros Amigos de 28 de maio de 2006

É óbvio que preferimos os projéteis de Baudelaire
a ver nos túmulos esse Uroboro invertido
o dragão de setecentas asas e três cabeças
movendo sua cauda nos presídios..
nas paredes reina o fantasma de
Hamurabi..
As unidades prisionais são
 um átomo do Hades...
Ali os netos dos sobreviventes de Canudos
tomam duas
horas de sol
cada e transformam uma lágrima em faca,
Um leu a arte da guerra
um Maquiavel por dentro?
"Outro nunca leu nada
só 'amor-de-mãe' na pele-lápide"
Lá fora o insolúvel respira...
A sociedade contra o social é a U.T.I. da alma.
Uma reação ao insolúvel:
Os comandos são o seu duplo incômodo.
O medo empresarial montado na besta do Estado janta sossegado?
Num canto do campo de concentração outro Poeta-enterrado pensa no escuro:
Da cauda do Dragão, agora com trezentas cabeças, sai um anjo e oferece um cigarro.
Do outro lado do Styx.
Começa o ISO 9000 do arrastão, escrito nas nuvens.
A cauda do Dragão reescreve a cartilha do I.R.A.

na cela com os fantasmas de Canudos.
Aqui fora um presídio simbólico ofuscado
pela sociedade do espetáculo.
Agora a seleção dubla o hino num filme estático
o poeta enterrado canta junto. Cantam as AR15s.
As bombas-caseiras. Os ônibus incendiados.
E o canto ecoa num terreno baldio e lá no alto outros anjos cantam
O hino do fogo e o hino da Terra

Enquanto penso na quietude voraz dos cemitérios,
onde reina a paz dos ossos.
ali o comando dos comandos acaba com o jogo.
que separava um presidiário e um policial de um poeta.

III. Oceano congelado...

NO DESERTO COM PAUL BOWLES
para Ademir Demarchi, José Aparecido & Nicodemos Sena

1.
O dia apaga teu rosto:

"A dark form impenetrable silent..."
 P. B. in *The fast twlight*

A noite
caindo como um suicida,
refaz o movimento
de uma pérola descolando;
Nuvens brancas
no céu
apagam teu rosto sem dono,
sombrio, tentando
insinuar que a melancolia
dos horizontes
abraça as árvores,
que todo esse *ouro violento*
é neutralizado
por um poderoso vazio sempre
nos chamando.
Podemos vê-lo na luz
que sai do nosso olhar
tocando de leve
o alto do Morro
e depois se fechando
sobre o rosto;
Luz se erguendo

como uma torre
sobre os escombros
de outra :
Escuridão de um
silêncio incompleto
em sua amplidão
de deserto *flutuando no ar*
entre rosas de água...
A umidade das pétalas
é como a pupila
tocada por essa luz,
que lembra
um diamante na piscina,
pedaços pequenos dela
se quebrando
até formarem um átomo
que fica cada vez menor
até o núcleo do invisível-indivisível,
que o aniquila...
Por enquanto vemos somente o que vemos,
a silhueta impenetrável desse silêncio
num crepúsculo
se quebrando como uma carícia
do fim
sempre chegando,
do dia jamais
terminando
até que a diferença
entre o visível e seu contrário
anulamos
quando finalmente
vamos...

2.
Para onde vão os mortos?

*"The white Light of
our flimsy prison..."*
P.B.

O espaço interior,
como casas de cristal
onde "quase-vivemos".
Nossos tentáculos de cristal, tão frágeis,
que nos esquecemos
do que eles nos trazem?
Da delicada transparência da luz e sua prisão
onde "nos sentamos por dentro"
para escutar
o som áspero dos galhos secos do tempo...
Ali, nenhum inseto nos perturba
"como um pensamento",
nenhum vento...
Nada saberemos
sobre esse lugar?
Onde jamais estivemos...

3.
Honestamente o que foi dito está acima do visto pelos olhos, acima das árvores, que aparentemente são os anos e as estações, acima do teu rosto indiferente, acima do rugido desse vento obstruído pela floresta, acima do que nela está ouvindo o chiado fino das coisas que jamais foram reais, do que está escutando nosso esqueleto, "nossa carcaça psíquica", acima deste objetos inanimados, acima das nuvens, acima destes signos que se movem como um lençol na superfície de um sono, acima da nossa respiração

inquieta e do abraço maravilhoso desse repouso *do Nunca mais*, das ruas que estão em toda parte e são a mesma, acima de tudo o que pôde ser assassinado e principalmente acima desse Ser que pensou reinar sobre as árvores como se ouvisse úteros que num paradoxo concebem a si mesmos, como se ouvisse do fundo da mente e de sua "dupla exposição", o sussurro mecânico e sem razão do próprio coração...

4.
"Se a febre retornar
 poderei ver a manhã
dos Santos
caminhando dentro da fome?
Ser o ar na voracidade das últimas florestas?
Sorver o vinho do silêncio e seus meses e anos *dentro do vento*?
E na febre sentir a lenta explosão
do corpo
no deserto de dentro...

PAUL CELAN
para Cláudia Cavalcanti & Torquato Neto

A humanidade
Com ele
Silêncio:
Celan
Se abre
Selo
No rio
Pedra
Nuvem
Quebra
Faca
chave
livro
como queda
no próprio olhar
uma porta
abre
dentro
cristal
espaço
branco
tênebra
dia
carne
canto
fora
a morte
um manto

de silêncio
cresce
em nosso campo
esconde o canto
esse olhar
pesa
uma rosa de sal
e não afunda
sobe
atravessando
todos
os
campos.

A VIDA É SONOLUMINESCÊNCIA

Chove
no Sol:

Há uma
estrela
na jarra
d'água:

Fatos
num
sonho:

Onde algo imita a luz com perfeição.

TOLSTÓI NO MOTEL

Comparo inutilmente
o suor do amor com o orvalho
ou com a chuva passageira,
e o silêncio que fica com
um poema sem palavras
ou com um espelho no escuro

e sonhar com ele
com
andar na água
ou tentar lembrar como.

A ÚLTIMA NOITE

Lendo Brodski
sinto a irônica
presença
do mesmo narrador
de Auden
que lê comigo "O Agente Secreto"

ele também me
espera
fora do poema
onde estou
agora em enigma

(como o vento que move as folhas dessa árvore)

O ENIGMA DO ÓBVIO

Me intriga
a metafísica oculta

Na banalidade de frases
Tais como:

"Você tinha que ver"
"Nem te conto"
"Pelo contrário"
"Você não morre mais"
ou
"Falou no diabo aparece o rabo"

Num outro contexto
Ofuscariam menos nossa
Pequena luz inversa.

A CRIAÇÃO DO MUNDO

Um Diálogo

Sou um poema?
Não, apenas luz.

Quantos anos você tem?
Sete dias.

E você?
Nenhum.

Estou sonhando?
Não, você está lendo.

A VIDA É ESSA LUZ?

Depois de ver
"A Besta Humana"
 e
"O Anjo Exterminador"
na
minha mente
as imagens
dos
dois filmes
e as dos esquecidos sonhos
se misturaram
como se fossem
as respostas.

DRAMATURGIA SECA
para Antunes Filho

São
só palavras
no papel

que se
movem
em direção
ao vazio

emprestadas como
todo o resto
parecem ter
uma certa afinidade
com as coisas,
até que algo
se desprende
e fora dessa esfera
se cristaliza

OS ANJOS

Brincam de
pega-pega
nos elétrons

e

de esconde-esconde
no espelho.

VEREDITO

A mente
não dorme.

A alma
não pensa.

A vida
não vive.

PARA ORIDES FONTELA

O
silêncio
disse
algo
e
se
calou
para
sempre.

DESINTEGRAÇÃO — MORTE

Daqui brota a
linguagem
do outro lado
o pensamento vem
como num baile
os dois dançam
O baile acaba
ser e linguagem *cessam*
o pensamento
vê a porta aberta
e flutua até
um abstrato *quando*.

PENSANDO EM BRUNO BETTELHEIM

Diante do sono de Deus
Lúcifer diz:
"Auschwitz".
Enxergo um
"Dachau"
no olhar
das
crianças

Penso no sussurro da luz
em Goethe
e no jardim que me vê
pela última vez
Desligo a TV para sempre
e
escrevo no espelho da mente:
STEFAN
SZWEIG!

O AMOR

*Amizade
Fio invisível que se dilata
no espaço tempo
se movendo para
dentro*

*Quando há vários fios
é a energia do silêncio
que
os sustenta
Onde dois pontos
convergindo para um centro
ainda não
são.*

MAURICE LEGEARD

*Viver para
conhecer a Aurora
e o Eclipse,
o
Limite
e o
Sacrifício.*

*Morrer para abrir o
Sétimo Selo
onde
a eternidade foi um dia.*

ANTIDIÁRIO DOS FILMES

Em "Crash"
Cronemberg alcança
Camus
Ao tentar recriar
a
Aura parada do
Cotidiano.
noto que entre
a
cena final
e a
cena no ferro-velho
se insinua uma
suave dimensão
épica para uso
dos suicidas.

LENDO CASCOS E CARÍCIAS

Encontro nas crônicas
de Hilda Hilst
uma síntese
que me agradaria

dentro
disfarçada de *túrbida*
tristeza
rutilante ironia
e invisível tessitura luminosa:
uma
menina morta.

UM BILHETE DE BOWLES PARA BOWLES

Se

*"Isolamento
é evolução"*
(Kafka)

Concluo
que o
amor é um conceito ilusório ou
distância
mistério e
contenção
se os relacionamentos humanos
estão em
oposição aos divinos.
Talvez isso
justifique o
deserto.

BETE COELHO
Teatro Oficina / dezembro-1998

É uma busca
para sair
das trevas do amor
e lixo dourado,
quieta na madrugada.
Um suave pássaro do fogo
espera
dentro das camadas:
"Quando se é feliz, não é difícil morrer"
para ser um
riso do ar no
inominável?

REVISÃO DO PARAÍSO

Olhe de novo
tudo é novo
nada tem nome
Ele é Adão
Ela é Eva
algo os consome
esqueça a expulsão
O anjo
da racionalização
com a espada
da nomeação.
Isso é apenas
uma folha da árvore
veja de novo
a serpente ainda
não
nasceu

tudo é o Ovo
os dois estão mortos

o Anjo sou eu.

O ESPELHO

O ESPELHO
É A IMITAÇÃO DO SILÊNCIO

ANTIDIÁRIO DOS FILMES 2
para Jorge Coli

"The Turn of Screw"
de Jackson Clayton
(Os Inocentes)

As duas crianças
são metáforas
e o horror sutil
que nos invade
é a percepção da presença
da morte real
como a barata
que sai da boca do anjo.
Talvez a alma seja
uma fusão das duas crianças,
com a aparição.
(só saberemos no último dia)
até que ele
chegue estaremos em comunhão
com a governanta.
Reunindo no coração:
Medo
Fascínio
Ternura
e o mistério da solidão.

O ABISMO

é um céu invertido

onde um sol enterrado

espera teu consentimento

para brilhar.

NOMENCLATURA

Um hospital chamado morte

Um cinema chamado sonho

Um encontro chamado partida

Um cemitério vazio

Num lugar chamado vida.

ANTIDIÁRIO DAS LEITURAS

Quatro da manhã
lendo
"Se um viajante numa noite de inverno"
comparações inúteis:
Calvino e Pirandello
Os dois parecem querer
alcançar o mesmo propósito
mas Calvino como Cortázar
está mais próximo de um
centro vazio que exclui o leitor
Enquanto a Pirandello só
interessa algo que inclua
e explique sua absurda
e humorística tragédia
e se há um centro
ele nada revela.
Se em Calvino
o centro é tudo e está fora
que somos nós
senão um oco
que o mundo preenche e elabora?

Ao final da leitura intuo que o verdadeiro autor é o leitor.

CARTA PARA ADÍLIA

Pensando em ti que tendo escrito um poema contínuo ou o silêncio que estando sem dormir ou já tendo morrido em sonhos acordados como um rio em alto mar quer dizer em ondas que viajam do nada para o tudo que é como um remédio para uma paixão sem ressurreição no encargo de ter escrito esses poemas como prova de uma fortíssima amizade com o invisível que nos une abolindo num salto as diferenças quânticas entre presença e ausência sendo tudo como luz e água como esses peixes que nadam em nós sabem eles podem bem ser a alma que é só uma mas brinca de esconder com aquele tudo que podendo ser um primeiro de abril dos átomos ou dos anjos contado aos que ainda não são nós que não somos anjos nem gatos e brincamos de poetas poderemos pensar já que Kafka escreveu uma novela onde algo era uma barata todos podem acordar amanhã de sonhos iguais apesar das imagens como algo transformado em criança com olhos de Kafka ou ao menos podem ler com os olhos emprestados dessas crianças que foram não sendo crianças que estão sentadas à direita de um mar estão lá elas conversando com peixinhos sobre estes reinos mais antigos do que a palavra e tudo lá está tão nítido que não percebemos a imensa pequenez da grandeza delas que não precisam estar sendo para ser que são sem os verbos e inclusive podem ser mais do que isso e até mais nós do que nós mesmos do que isso que estamos sendo fora delas do que isso que escreve esta carta para dizer que te ama.

DOSTOIEVSKI E TOLSTOI
(Um diálogo)

Dostoievski: A ideia de Deus é o centro irradiador do horror metafísico.
Tolstoi: E a existência do homem é o quê?
Dostoievski: Tem razão, nesse caso podemos excluir Deus.
Tolstoi: Podemos excluir a ideia de Deus, mas não a ideia do horror.
Dostoievski: A sensação da ausência de Deus é mais acessível do que a certeza de sua presença.
Tolstoi: Ora... Nós somos a ausência onde se inicia a presença como ideia.
Dostoievski: É melhor acreditar que uma harmonia secreta domina.
Tolstoi: Isso seria a fonte de um riso infinito entre as estrelas.
Dostoievski: Maior do que o horror metafísico?
Tolstoi (após um silêncio enorme que inclui você): Deus é a fonte de todas essas coisas.
Dostoievski: E o homem é seu meio.
Tolstoi: Exatamente, o homem é apenas o meio...

IMAGINANDO O LOUVRE

1.
Sir Joshua Reynolds:
Mister Hare
Ela quer algo
que está fora do quadro?
Os galhos da árvore,
com o vento,
quase tocam suas mãos
como no quadro de Michelangelo Deus toca
as mãos de Adão.

2.
Bartolomé Esteban Murillo:
O jovem mendigo
Como uma foto de Rimbaud
Como se estivesse sendo visto por Burroughs ou Paul Bowles
ou
O 'kid' de Chaplin
nos 'Sete Pilares da sabedoria' de Lawrence

3.
Rosso Fiorentino:
Pietá
Nos braços abertos
Uma cruz invisível
Dentro do corpo dela
E a que segura
Como que lhe acaricia os seios
Cristo é como um vaso

E os cabelos do que segura
Seu braço esquerdo são as flores.

4.
Georges de Tour
Cristo com São José na oficina de carpintaria
Esse menino como outro qualquer
É Cristo?
Isto 'cristianiza' qualquer criança...
Mas o mistério do quadro está na vela apagada
De onde vem a luz que ilumina o menino?
Ele parece explicar algo sobre o mistério ao velho,
Mas nós não podemos ouvir...

MEDITAÇÃO SOBRE O TEMPO

"Será o tempo percepção, curvatura, duração, deus nele contido?"
Flávio Viegas Amoreira

Ou será o tempo a escritura da luz
No espaço?
A vontade da matéria?
O trânsito destes blocos quânticos entre luz e luz?
E se somos apenas o cobre esse campo?
Enquanto não descobrimos 'o nada'
Nem 'o tudo' que se esconde nisso
Esse cochilo rápido
num ônibus
é como um acessível nirvana cercado
de vazios
(Acordo)
o tempo poderá ser uma condensação dentro 'do vivo'
de um fogo lento e indivisível
tendo como núcleo
um ponto inominável da luz
que atravessando a carne como um som
escapa até outro sol.

FANTASMAGORIZAÇÃO

a vida é esse

teatro fantasma de

notas dissonantes

numa partitura atômica,

onde a matéria é a

energia do silêncio?

Tu estás?

NO LIMBO

Dante: Você é uma continuidade quando ama.

Sócrates: De si mesmo ou do outro?

O REAL

Na mente
mera quimera
que o sonho incinera
Como o sol
que amando fagulhas
incendeia campos de trigo.
Assim esse olhar
ao se ver em sonho
também incendeia
campos de certezas.

SEGUNDA CARTA PARA ADÍLIA LOPES

Mesmo que já não fale, o que vale é o que a alma diz e ela me perguntou: você gosta mais de mim ou dos poemas; respondi que gosto tanto dela que no buscador google de imagens escrevi seu nome como se o computador fosse um tronco de árvore e com as imagens que apareceram compus o meu pequeno filme sobre o amor chamado 'A *tristeza de Stendhal*'

No filme primeiro vemos o olhar de Stendhal depois a terra vista do espaço depois o olhar de Dante depois o seu rosto (o rosto de quem está lendo) depois o planeta Vênus e finalmente uma camélia congelada na Antártida e a voz de uma criança sussurrando como em O *sacrifício de Tarkovski*:

'Se isso somos nós... E essa flor?'

Vemos a flor pegando fogo dentro do gelo e aparece a chave.

PONGE E CELAN: UM DIÁLOGO
para João Gilberto Noll

Ponge: São como peixes de gelo e lentamente se transformam em peixes de fogo...
Celan: Depois são água?
Ponge: Nunca são água ou quando são a água desejam ser o ar e queimam de dentro para fora...
Celan: Eu desejo ser água...

ROSA NO INFERNO

Nonada barulho das bombas do centésimo comando explodindo o Cristo Redentor, o senhor mire e acerte essas crianças são as hordas clonadas...

PARA RUTH LILLY

Após um gesto que equivale ao canto 1 do Paraíso a leveza em sua mente fez com que ela tocasse o sol.
E o que são 300 milhões de dólares agora diante dessas asas de fogo e pó maiores do que as do World Trade Center.

O IMPROVÁVEL

O amor
é o
azul
feito de gelo
flamejante
caindo
sobre nós
em microscópicos
pedaços
que lembram
diamantes.

TUDO

Na ficção ilimitada
Hans Castorp
sentado numa cadeira
de vime dentro de um sonho
de Visconti conversa
com Kafka
sobre Dante.

Kafka: Este é o 12º círculo do inferno
esquecido por Deus e pelos demônios.

Dante: Não é só você, Luchino,
que sonha com isto enquanto alguém lê.

VIVER A VIDA

Entre
o leve paroxismo
e a excruciante concisão.
dormem.
Sartre e Platão
atravessam a rua dois mendigos.
Isso acaba sendo um Cinema
onde esperamos
para ver
"Viver a Vida"
com Jean Seberg e James Dean
num
impossível
sonho.

PARA GILBERTO MENDES
(Tentando definir o que me ocorre ao ouvir sua música para piano)

Um sentimento oceânico,
Ondas de saudade da humanidade,
uma passagem da outra Odisséia
onde Ulisses está numa gruta e o ciclope pergunta:
"Quem é?"
e ele responde:
"Ninguém, meu nome é ninguém".
Ao ouvir sua música
sinto que qualquer homem pode ser Ulisses
caminhando na praia ao entardecer
Se na gruta de si mesmo ecoa em tudo
a pergunta do ciclope-mundo.
Penso em John Cage (agora) num pássaro
e na religião de Satie, no conto de Attar
que narra a estória de um menino
que quase se afogou
ao enfiar o ouvido no mar
e ao ser indagado respondeu que
"uma vez ouviu numa concha o som do oceano
e ao mergulhar a cabeça na água pretendia ouvir
no oceano o som de uma concha".
Mas é inútil,
nenhuma frase será capaz de traduzir
esse vítreo sentimento vasto,
melhor é passear na orla
enquanto a música relembrada
anda na água.

MORTE E VIDA DO NADA

Sendo um espelho
dentro do tempo
contêm em si
um paradoxo
repleto de lógica inconclusiva,
quase não se pode ver
sua substância
feita de esquecidos sonhos
onde agora
estamos.

A MORTE DE TAKAO KUSUNO

Foi o corpo uma vez mais
se abrindo para outros corpos
na expansão da aurora,
mão que toca
invisíveis campos de flores
como chuva onde uma única
gota sobe
ou silêncio onde
nuvens dançando
desenham um olho.

ONTOLOGIA E SIGNO:

Somos como letras
num poema,
da ausência inconcebível do antes
à falsa nulidade do depois
Também somos o sopro
que se move
entre os dois.

BECKETT PARA CRIANÇAS

Aqui havia um espaço em branco e uma vontade estranha
resolveu escrever nele um poema inexplicável chamado tudo.
Ali havia um espaço em negro...
chamado simplesmente de espaço...
Se eu flutuar bem rápido dentro dele dou de cara com um Deus chamado buraco,
que engole tudo tão rápido que não sobra nem você lendo.

FIM DO FILME

A morte pode ser o teu último e verdadeiro orgasmo
translúcido nos limites do emaranhado da alma
ou o vôo do pássaro da antimatéria dentro do branco dos teus olhos.

TITANIC WORLD

Quando tudo for transformado num shopping center e o próprio ar for etiquetado
quando a água substituir o ouro e o ouro por sua vez for
reduzido a mero asfalto
nessa hora a humanidade quase extinta sonhará com escombros
e dos bueiros secos irá se erguer um Sócrates-Cristo armado até os limites do insano.

A MORTE DE ULISSES

A solidão-sonho
como a vaga noção abstrata da razão
permanece depois do fim de tudo e viaja de um silêncio a outro
como a alma
que persegue a consciência na forma
encontrará no corpo
seu barco.

Transportando a matéria dos sonhos
na absurda jornada
matéria que cedo ou tarde no canto
das sereias se dissolve
enquanto no
espaço a pergunta flutua:
ignorando o olho do Ciclope na Lua
me amarro ao mastro-sono para acordar
depois no milagroso *antissonho do mar-tudo.*

PERTO DO CENTRO
para Ademir Demarchi & Donizete Galvão

Centro que não se move mais em nenhum tempo
digo que é inútil atravessá-lo e saber que em seu núcleo
tantos eus giram em volta
dessa mandala do nada
alimentada por motores de anti-luz
que invadindo a vida assusta até as flores
que se abrem lentas no asfalto
num silencioso grito maior que o de Munch
como essas flores também se abre a pele
quando pressionada por projéteis que dançando na gravidade da morte
anularam o movimento da menina de oito anos e meio que passeava perto
do centro.

WORDS

Algumas palavras podem ser um incêndio da alma
outras nada
no fim uma escuridão dourada também voa quando o fogo do silêncio
tudo apaga.

Outras em febre se divorciam das coisas nomeadas e são
as mais raras.

Outras se tornam centelhas ocas mortas no dicionário
Outras centelhas vivas nas lápides.

VELOCIDADE MÁXIMA

Anulados
eles entrarão nus nos carros
 e os carros serão como nuvens

NO ESPELHO
para Sérgio Sampaio & Arnaldo Baptista

Antes colado a um agora
devorado na carne
por esse lento cardume
de piranhas invisíveis
guiado pelos ponteiros
a isso chamar:
vida?

Sem som e sem fúria
na estrada das horas
onde o azul das horas
o dourado das horas?

Na morte
se convertendo em
transparência sem tempo

Onde vidas raras foram
mortes vivas
(e nós o que somos?)

Mãos de água na chuva
ou peixes de gelo
dentro do sol?

JOÃO CABRAL PENSANDO EM ORIDES FONTELA

Da teia de Orides falo
de dentro da noite que a precede
ao seu contrário
penetrando lentamente na teia
procurando como um personagem de Pirandello
um autor como Dante
que apareceu a seus filhos
como o pai de Hamlet
Logo surgirá em ti
essa mesma imagem imperfeita e incompleta do indizível
e ao levantar da cama
vindo do interior onírico
rodeada de silêncios e metáforas.

Movida por um misterioso e conhecido
impulso pensará na fé de Musil e escreverá
o silêncio.

CARO ENIGMA

Na parede
uma foto de Drummond
parece sorrir do fundo de claras trevas, ele
cercado de livros que se apóiam um no outro
como tijolos de inomináveis ausências.
(Motores da máquina da poesia)
Oscila entre o *ser* e o *nada*
nos intervalos
desse jogo.

CONCLUSÃO

Sonhar, acordar e sair
abraçar e beijar,
ler e pensar
mover as mandíbulas e articular
palavras
e outras tantas coisas que se convertem
em solidão e crescem
até alcançar sem conclusão
o espaço oceânico da morte
onde algo espera.

NA MORTE

Na morte
o núcleo do silêncio
onde logo estaremos
uma vez dentro
sim é não
e não é nada
os de fora dizem
morremos
não podem ouvir nossa voz
num sussurro dizendo
tudo está em nós.

MACEDONIO FERNÁNDEZ NO CONGRESSO ETÉREO

Quatro da manhã
lendo
'Se um viajante numa noite de inverno'
Algo deveria

estar mais próximo de um centro
que exclui o leitor
de sua absurda e humorística tragédia
onde há outro centro vazio
que nada revela
se nesse livro
esse centro é tudo
e está fora
o silêncio
me diz que somos nós os falsos sentidos que o mundo
elabora.
Mas as palavras parecem estar sempre contra
me diz o cotidiano que ri como Puck
e lamenta como Lear
enquanto o sentido oculto das frases,
 apenas lê e se cala.

PEQUENAS NOTAS SOBRE 'COM A ÁGUIA' DE PAUL KLEE
(À MANEIRA DE BENN)

(Sendo as duas coisas)
Nuvem brinca com
 pedacinho de treva
que se solta
a águia pousa no escuro arco-íris
que já foi noite
luz ouro envolve mundo, em volta ninguém
cachoeira verte sangue vinho de alguém...
no centro de tudo
abre-se olho-Éden
e dentro, mais que humano
 vulto
    vem....

O GESTO

Kawabata:
por beleza e tristeza.
Mishima:
num grito de Sol e Aço.
Akutagawa:
apenas cansaço.

Hemingway:
caçou um leão por dentro
Pavese:
vidro moído
no centro do pensamento.
Vladimir:
dentro dos olhos
uma chuva de granizo.

Lendo 'Ariel'
traduzido por Ana
percebo o gesto
nas entrelinhas

destroçado pela insuportável beleza
da vida convertida em ideia terrível...
Nós somos Ofélias num mundo-Hamlet?

CIORAN PARA CRIANÇAS

O sol
é o fantasma
do sol

e o amor
que nasce
na imaginação
da morte
é o sono
da razão
ao nosso
alcance.

NA NÉVOA COM NUNO RAMOS

Dialogar com o enigma da matéria
pressentir no invisível
essa artéria
de onde querem falar em sua própria língua
vidro breu cor pedra

entre as obras
ser transparente

Enquanto
olhos
cometas moles em crateras
vivas
cumprem sua trajetória *semi-cega.*

A CORRUPÇÃO DE TUDO

Se revela nos pequenos gestos
que se repetem numa mecânica frenética
ou divina (segundo alguns)
que num esforço misterioso e gratuito
a natureza transforma em vida.

OS PRAZERES E OS DIAS
para Jamil Snege

Com você
na névoa dos sentidos
atravessada
por um raio de sol
que toca
o copo d'água da mente
que reflete em seu fundo
um olhar como o seu
onde sorria a essência de Hesíodo
ou outro raro
onde paisagens e música
se encontravam no tempo
estranha fusão de enigma, memória e rutilância
Depois com a morte
enigma e música como
olhar e água
se separam
cessam os dias pensados-falados
mas
na escritura
os prazeres relembrados
voltam
como um misterioso raio.

O APOCALIPSE
para Maria Rodrigues dos Santos & Hans Magnus Enzensberger

(Tarde)

Nosso corpo de névoa acorda a
manhã
dentro dele

o pássaro morto
no fundo do oceano
acende um cigarro

(Interior)

Uma
árvore azul
reina sobre as águas enquanto
o vento
dança
o homem existe
sorri como em Paolo Ucello

a noite folheia o livro de areia
no sonho
a alma
espera
na secreta esfera

(Manhã, outra)

É ela
cantando
dentro do sol

a baleia
transparente
como o esqueleto do anjo
ossos de névoa
flutuam
sobre bosques de veludo
atravessados por essa
luz

(Crepúsculo)

Me digam
quimeras
onde conseguirei
o livro da *verdadeira* vida?

(Madrugada)

no cenário em construção
alguém bate à porta
um querubim diz sim
Adão diz não

(Morte)

Eis o sol do silêncio
para a floresta
das vozes

dentro do
círculo azul

não há noite
nem dia
o céu desce
à terra vazia

no jardim
uma só alma
espera os esquecidos corpos
dentro da árvore
o eterno fala
nada mais o cobre

Adão sobe.

IV. Esse invisível fantasma

CARTA PARA A MORTE

Camões: A vala onde morto estava, o quarto onde encontraram o cadáver de João Antônio, o sapato que Artaud segurava, a cama molhada de suor do último sono de Caio, no paletó de Lorca a flor intacta, o prato vazio que caiu das mãos de Mandelstam, os círculos na água de Celan,

devo parabenizá-la por estes momentos

de uma estilística sempre surpreendente e rara, somente às vezes ofuscada, pelos lampejos precários dessa luz fraca, que caminha nos espelhos e nas capas

A ALMA, A MORTE E A PAISAGEM

Que sentido há em querer vestir esses esqueletos feitos de paixão em pó que se afogam na névoa com facilidade para encurtar os abismos... Nenhuma lógica pode explicar o eterno retorno do fantasma das manhãs e de todas as outras invisíveis formas mortas em volta de uma ideia que não se abrirá para você como esse delicado grito das nuvens.

MULHOLLAND DRIVE

Grandes sensações se dissolvem quando o tempo era uma água imóvel e irreal como o passado ou a invenção da investigação de um sonho onde a fusão das identidades não resolve o mistério incendiado da paixão que foge para o sono ou do amor que foge para o mesmo sonho. Que importa se acordamos no hoje dos suicidas ou no ontem dos assassinos e nos levantamos dentro de um 'Lazarus dream' na estrada do abstrato.

A VIDA

Então é isso... Nós somos os anjos afogados como esse veludo invisível ou nuvens de sangue onde vomitamos algemas iguais ao DNA... Ela era uma nuvem de sangue de veludo, disse a Terra, ali os animaizinhos loucos brincavam com o tempo como observaram os olhinhos brilhantes de Erasmo, com seus brancos e angélicos esqueletos presos no fundo de muitas camadas de carne da memória que apenas abre buraquinhos de agulha por onde *isso* escapa... o *isso* da nossa fome de sono e esquecimento... É isso, estamos condenados ao êxtase da neutralidade ou o da lucidez com instantes-clareiras para ler as miragens durante o sono... Estamos dentro de um açougue chamado corpo, de um aquário chamado mesa ou cérebro, tocando a música do ar nas árvores através de um copo sentado numa cadeira até alcançar o osso do oceano em nossa mente que se liberta como uma lâmpada em volta de uma mariposa morta da imitação das formas e da desilusão do inexistente enquanto sóis apagados nos cemitérios acordam ilhas através de um terreno baldio que foi apenas um falso jardim com o cd de silêncio tocando no máximo... É apenas isso:

os cadáveres concretos ouvindo os cães de água... Esta será a senha para a visão do mar queimando as nuvens.

MEDITAÇÃO SOBRE O TEMPO
(Morte dentro dos nomes)

> "Sobre o crânio da raça humana o amor faz seu ninho"
> Charles Baudelaire

A Avenida é uma chuva horizontal de crânios embrulhados em violentas pétalas de carne

cada embrulho é um segredo com florestas esquecidas transitando como poeira entre um e outro pensamento (Sussurrava Fernando Pessoa na Praça olhando para as filas aleatórias que atravessavam a rua).

Um crânio armazenando o tempo para uso exclusivo do tempo... O que não significa *nada*. Ele gritava para os carros: Ó infernais explosões de carnes mortas embrulhadas em perguntas. Pessoa era só mais um que gritava nas esquinas, a alguns metros dele gritavam também Ésquilo, Blake e Murilo Mendes e do outro lado da rua um cansado Edgar Allan Poe quase sem voz dividia um maço de cigarros *Sucesso* com Luís de Camões. Era quase impossível reconhecê-los e com certeza até o fim dos tempos estariam todos novamente mortos.

KAFKA PARA ADOLESCENTES

Sendo agora uma formiga distraída este incomensurável sopro me arremessa até o abismo do ar e desapareço do meu raio de visão como a idéea da alma no instante da morte enquanto flutuo lentamente caindo em tudo através de cada milímetro humano infinito como antigos instantes da infância relembrados inclusive como o primeiro chamado em sonhos de *sopro*, que embora não tão eficiente como esse que arrasta o homem-inseto pensante ainda assim a esse pode ser comparado em sua selvageria doce e indiferente fugacidade.

HEIDEGGER CONVERSA COM DRUMMOND

Heidegger – Os acontecimentos não me entediam tão completamente quanto o espaço onde o vazio se transfigura nesse sobrenatural banalizado dissolvido pelo enigma da ausência sempre intangível e nunca imanente...
Drummond – E o que nos nega na paisagem não seria capaz de nos elevar para fora do temporal?
Heidegger – Não, só o silêncio teria esse poder... Mas ele não existe.

AQUI

A volúpia de ser invisível é como esse torpor ouvindo 'Meu nome é ninguém' no crepúsculo de Cubatão. (O menino de nove anos que nunca pisou na zona industrial internado com leucemia). Depois ficamos sabendo que o ar era o Stalker. No hay graça nonada? Então vamos para Santos, o *cão-mendigo-criança* atravessando a praia do Gonzaga invisível como o Deus dentro do vento destroçado onde o fantasma do oxigênio dança com a morte no andar do tempo e as irradiações do sonho e as do sol constroem essa prisão que Hegel (um pássaro morto) ou Wittgenstein (uma orquídea seca) chamaram de certeza do improvável (o nosso único trunfo). Contra o fracasso antecipado do exército das musas, enquanto na esquina o gênio do niilismo se levanta numa nuvem de maconha transgênica logo ali onde outro zumbi adolescente vomita as asas na música dos gritos e o absurdo do início e do final são a mesma picaretagem do invisível.

A ÁRVORE

Escrever sem saber deve ser a essência vegetal desta liturgia (mas o fruto desse vazio é a luz do corpo)

Para onde vai a merda etérea e rutilante do desejo e todas as outras dimensões do mistério...

Um distúrbio secreto como o vento apenas toca levemente

essa árvore do silêncio.

V. Autobiografia total & outros poemas

O ERRO LÚCIDO

Coleciono fracassos cênicos devido à impossibilidade de destruir o teatro ou seja a humanidade e é essa impossibilidade que nos salvará do abismo oceânico do niilismo... Eu disse *nos salvará?*

Me inclua fora dessa... Adoro nadar nesse abismo... Aprendi isso fazendo uma leitura equivocada do Mishima & do Céline... Eu disse *equivocada?*

AUTOBIOGRAFIA TOTAL

Jamais conseguimos aceitar "O que é"

como Ontem...

Ou O que foi

como Agora...

Por exemplo: o que há de absurdo e assustador em

O tempo consumindo o próprio tempo?

O invisível como um espelho onde escreveremos 'A vida como ela jamais será'?

A única utopia possível de uma estóica aristocracia interior reciclando lixo em uma biblioteca

pobre como um cemitério?

A RESPOSTA

Clones da imagem no espelho... Não sentiremos ternura por mendigos adolescentes fuzilados por seguranças dos Jardins ou Higienópolis
Tocaremos um Allegro-Lexotam para tudo...
A poesia não mudará o mundo (Ver SHAKESPEARE)
por isso posso escrever:
LOGO NÃO SERÁ MAIS A TERRA!
Para um hipotético eu-cover não no espelho
mas em um futuro que não poderá culpar os poemas
pelo fracasso dos diques contra o anti-amor...
(Seria o mesmo que culpar o fracasso da carreira artística de Hitler pelo suicídio de Primo Levi)
É melhor acabarmos como um falso conto dos Irmãos Grimm:
"Houve um dia um governador de um país distante que ordenou a extinção dos cemitérios... Construam maternidades no lugar destes espaços inúteis... ele havia dito... Mas o governador morreu logo depois de proferir essa sentença e foi enterrado no cemitério geral, sua ordem contradizia os fatos e por isso jamais foi cumprida. O que pode um poema contra os fatos?"
Pensando nisto o nosso clone-fantasma sorri enquanto nos olha, como se soubesse a resposta...

O FANTASMA INVISÍVEL

Olhando para baixo, antes de pular do centésimo andar diz:
– É um anjo afogado?
A morte disse:
– Não. É o fantasma da humanidade...
– Parece um pássaro dentro de um peixe dentro de um cão dentro de uma árvore.
A morte fala:
– Você é o primeiro que não compara com
formigas... Chega, vou desligar o celular, a alma está gasta.
Ele pula e no meio da queda ouve a morte gritar:
– O cachorro-atropelado é um brinde... Vem com asas-de-merda para você brincar dentro.

LOGO NÃO SERÁ MAIS A TERRA

*Os miseráveis precisam da holograna
para sobreviver...*

*Os ricos armazenam
a holograna
em grandes quantidades...*

*Cidades? No fundo
só existem
essas duas...*

*Uma se chama 'Todos os corpos'
e esta é
'Todos os silêncios'.
Depois de mortos vamos para lá...*

*O céu é esse buraco aí. Ilógico. É apenas uma metáfora do Sol ou dessa luz,
que por sinal é só uma precária
materialização do silêncio.
O fato é que ela sai
do olho,
é o olho quem incendeia o Sol e depois se apaga dentro da trágica névoa
da morte.*

AUTO DE FÉ
para Catharine Leal

...Que essa carta tenha um endereço certo, no meio de um império enevoado de vagueza e indefinição? *Escrever com um endereço!* Como observou meu amigo Marcelo Chagas... Só isso parece fazer algum sentido dentro do açougue literário... Por isso sonhei que era um urso polar que vomitava borboletas... Gostaria de estar aí do outro lado lendo *como você lê*, mas eu não saberia prolongar esse esboço de um movimento secreto do afeto para além do simbólico, tentando se materializar como *algo real* e talvez anterior à nossa presença cada vez mais anulada pela nomeação. Algo. Um diamante mais antigo e autêntico do que a idéia do eu, que embora não possa escapar da armadilha dos catálogos, ainda é capaz de *reconhecer a alma ou seja a terrível gratuidade da beleza quando ela desce como música incancelável*...

A NECESSIDADE
para o meu amigo J. Roberto

Sinto a necessidade de viver, cada vez mais *o real como um mito*. Principalmente quando me encontro dentro dele com aquilo que Wallace Stevens chamou de: "A ordem violenta de uma desordem e a desordem de uma ordem." E Stevens, uma versão melhorada de T.S. Eliot, completa : "As duas são uma só." Isso é um fato para alguém como eu, que foi educado na barbárie (RUA) e entrou na civilização (BIBLIOTECA) guiado pelas mãos do Orlando, meu irmão genial e esquizofrênico. (As duas coisas são uma só?). Meu estoicismo ensaiado devo à minha mãe, que citava Sêneca sem ter lido nada além da Bíblia do João Ferreira de Almeida.

Aliás, devo à Bíblia minha primeira "iluminação"... Aos 14 anos, um sonho acordado com a cabeça de Holofernes descolando do corpo durante o orgasmo de Judite. Me parece que o autor de Hamlet também devia seu "Estilo" ou "iluminações" a uma versão da Bíblia, no caso, a do Rei James. Estilo, iluminação ou surto para mim são a mesma coisa. (VER BARTHES). Sei que isso pode soar como uma simplificação dos diabos e é isso mesmo. Aos 11 li os romances do Emílio Salgari, o Julio Verne italiano e os do Lobato, hoje considero o Lobato melhor do que os dois. (E DAÍ?). Escrever algo genial em Português equivale a descobrir um poço de petróleo em Marte. Temos vários escritores geniais em atividade e isso não muda nada, simbolicamente é como a entrada do Brasil no primeiro mundo, um foda-se dito em voz alta por um exército de esqueletos fosforescentes que ganham R$300,00 por mês. (É mais do que eu ganho com meu estoicismo ensaiado).

Chega! O Salgari se matou e o Lobato não... O Julio Verne e o Stevens também não se mataram, para mim todos eram suicidas falhados e a necessidade de viver o real se impôs a partir de dentro, como uma coragem... Sinto uma ternura infinita por todos os suicidas que não se matam... O não-suicídio nasce da necessidade de viver o mito do real.

AURORAS ROUBADAS

Ah, nosso estranho hábito de *"fumar o tempo"*
e depois jogar a fumaça
nas coisas através do olhar. No meu caso um olhar "escrito dentro do seu", subindo após o sono para a efêmera poesia dos mortos... Para que tentar fugir do círculo da sede e da fome?... É claro que isso é um pressentimento sonhado da realidade, me diz Bonnefoy dentro de uma pedra qualquer. A realidade aqui é um lugar-de-todos-os-lugares que explodirá junto com as outras esferas do jamais. Em volta de todos estes círculos viajávamos de um dia para o outro em busca do pressentimento de uma presença...

AURORAS ROUBADAS 2

Investigando a existência de uma voz que é audível *internamente* sendo uma água como o tempo, podemos abrir essa porta com a mão morta das parcas ou iniciar a irradiação invertida da razão nas enormes ressonâncias escondidas nos fatos e em outros pontos luminosos ocos que se vestem de pergunta e nomes fora da aura enevoada das canções.

O EVANGELHO

Seja absolutamente diferente de mim e do que penso que você deveria ser, para que eu possa me abrir para o outro que você é, não como um animal fantasmagórico no espelho dos distanciamentos. Não como um outro eu clonado para as afinidades do ajuntamento irônico, mas para a significativa visão paradoxal do início de uma emancipação, longe dos domínios da coisificação-blindagem do eu. Me abrir para o encontro de uma autêntica filia onde predominem a espontaneidade, a leveza e a lentidão para essa alteridade. O amor como um valor laico e afeto como uma instância do atemporal, como um poema do irreconhecido fundado no desejo do impossível.

O EMBATE

A pureza é dissolvida pela força da realidade?
Mesmo que ela se alimente da fé?
A força da pureza é maior que a força do tempo.
Jamais poderemos saber se isto é verdade por causa do seqüestro da nossa vida interior promovido pelo próprio tempo. Sempre que mergulharmos fundo o bastante nesse abismo, poderemos sentir os efeitos da luta da realidade contra a pureza gerando em nós a semente da loucura.

O TEMPO

O tempo é o poema que embala os mortos?
O espaço é o tempo que sonha com os vivos?
O que é o Sagrado?
Um ponto de ônibus, uma folha-seca, um copo d'água no fundo do oceano?
Um pedaço da minha unha cortada já é uma antecipação do meu cadáver fragmentado?

CANÇÃO DO SONHO PARA JOÃO GILBERTO

O amor é o silêncio
sonhando,
um silêncio tocando
o corpo
de outro silêncio.
Um peixe engolindo um pássaro voando...
No fundo do oceano, dorme o amor
É a *impossibilidade*
banal que faz
do eterno uma verdade
comum.
Jamais foi delicado ou natural, é antilírico...
Morre apenas quando mata...
Jamais foi democrata,
Melhora o egoísmo?
Canta no fundo de um abismo,
Justifica o suicídio e a solidão,
começa na imaginação
do desejo.
Não tem solução...
O amor...
Não.

A POSSIBILIDADE?

A vida pode ser vivida como um teatro dentro de um labirinto onde a energia difícil e difusa do que somos apenas através do outro e para o outro... essa *energia perdida do si mesmo* é a única coisa capaz de construir pontes sobre o abismo dos gestos e das palavras e *iluminar um pouco* o percurso dentro desse labirinto no escuro.

NADIFICAÇÃO

Depois de procurar em vão, por indícios da alma no lixão geral do interior. O melhor a fazer é abandonar tudo, e ir morar ali na esquina... Há exatos dez mil anos luz da redação da revista das hipóteses... Lá ao menos farei companhia ao Salomão... ouvi dizer que ele era o guia de um famoso filósofo uspiano cego, o Bento Prado Jr. Agora ele fica o dia todo olhando para o céu e latindo. Apesar disso, ele me parece mais humano do que eu e todos os Bentos, incluindo o Papa. Vou levar apenas algumas garrafas de vinho Periquita, a roupa do corpo, alguns livros, não posso me esquecer daquele exemplar do Hamlet com um buraco de bala. Ah, preciso abandonar também meu antigo nome, rasgar todos os documentos, quero ser apenas uma coisa. Meu nome, Meu novo nome... será Você. Pronto. Você está pronto para o grande salto quântico. Nada irá te alcançar, nenhum governo, nenhum olhar-catálogo. Você ficará parado ali lendo o *'Pornografia Pessoal de um Ilusionista fracassado' do Nilo Oliveira*. Será um Você invisível como o vento, os mortos e a alma. Ali parado no meio da aldeia abandonada na companhia de um cão e de um índio-velho.

CONFISSÕES

Falo na condição de habitante do limbo dos homens-marca, do sub-Hades da obscuridade, que é o lugar autêntico onde a vida *realmente acontece*... Em mim a feitiçaria da linguagem foi anulada pelo movimento sem sentido dos ex-seres, dos seres-sem-rosto, dos seres-coisa (*por exemplo: um ser-coisa do sexo feminino desenha um mandala em alguns pontos da geografia da cidade-terreno-baldio onde moro, cagando nas esquinas, é uma espécie de assinatura-acupuntura ou grito* exatamente como a literatura). Enquanto habitante da obscuridade. Da obscuridade *que limpa* sinto que a literatura no mundo de hoje equivale a um homem-bomba num campo minado e a poesia, *uma coisa destroçada e sem-porquê como a rosa de Silesius equivale à presença da névoa no meio da neblina. É o triunfo do efêmero.* Palavras como *Deus, eleição, amor, país* e outras se tornam *apenas camadas cada vez mais densas de opaciamento.* Para mim só os sentimentos sem nome. A vastidão dos sentimentos e sensações sem nome me fazem seguir em frente em direção a um buraco-negro que por sua vez vem ao meu encontro como se fosse uma resposta.

O tipo de literatura que hoje encontra eco nos leitores é um nivelamento. Uma imitação das formas-mortas do mundo das marcas-literárias. É um lugar onde a autenticidade e o conteúdo são simulados. O que significa publicar um livro num cenário arrasado como esse?

Acender um fósforo molhado.

O QUADRO

O fato é que estou narrando a partir de ontem, sempre no ontem, porque aqui a nadificação elide o tempo... Fiquem à vontade para tentar alterar "o passado"... *Para mergulhar na impossibilidade como se fossem fantasmas tomando um banho de piscina no quadro do Hockney... A Bigger Splash. Aqui onde o 'Como se fossem,' é igual a um 'Fodam-se'...* É claro que também me refiro a essa piscina vermelha. Essa que aparece quando olhamos para o Sol de olhos fechados... Para sermos humilhados pela falsa eternidade... Nós e o oceano, que também movimenta suas pálpebras em direção ao irremediável.

DIÁLOGOS COM MEU CLONE-FANTASMA 1

Marcelo Ariel – Não há nenhuma palavra no tal jardim da alma... Nenhum sentido na queda dos anjos ou das canções... Tanto faz folhear o catálogo dos mortos ou o dos discos jamais relançados?

Emanuel Ors – Sem o velo de ouro, navegando como o Bateau Ivre por esse mar de merda, ilusão e obscuridade...

Marcelo Ariel – Ao menos a obscuridade é um bom produto de limpeza.

Emanuel Ors – Pode até ser, mas jamais será eficaz como o sono-geral...

Marcelo Ariel – Você quer dizer, o sono-propriamente-dito, esse que nos prepara para a extinção particular...

Emanuel Ors – Não...Me refiro ao sono-geral, mesmo. Esse que nos mantêm presos à farsa da sanidade mental e a outras farsas aí nas vitrines...

Marcelo Ariel – Ah...Você está falando do shopping-abismo... Do museu dos vivos ou seja da multidão lá fora.. Da opinião pública... essas porras?

Emanuel Ors – É isso aí... O nazismo-light

(..)

Marcelo Ariel – É, tanto faz olhar para uma vitrine ou para uma lápide...

Emanuel Ors – Acho que não, a vitrine ao menos serve como espelho...

Marcelo Ariel – Que merda... Eles, os empresários da morte, precisam mandar colocar espelhos nas lápides... Com urgência.

Emanuel Ors – É, e vitrines dentro dos túmulos...

Marcelo Ariel – Câmeras transmitindo a decomposição ao vivo...

A INDESEJADA

Por dentro ela ainda é o suicídio dos fantasmas e depois apenas um micro-assassinato hiper-lento patrocinado pelo oxigênio, a luz, etc... E depois disso a inexorável burocracia quântica e depois dela o triunfo da nadificação e depois a vitória da impossibilidade ou do "bandido em estado puro" como disse Cioran... O bandido em estado puro fecundando o óvulo ou para ser mais preciso mais de duzentos milhões de cadáveres-à-vista trocados por um único a prazo...

AUTOBIOGRAFIA TOTAL 2

hoje
na incompleta manhã
"abrimos os olhos" e é
como se o mundo fosse um
fantasma sólido que
"por fora" e num instante
imitasse o sino imóvel
do sonho,
imóvel apenas quando acordamos
para a fúria solar
que é
a gênese incompleta
da inquietude de olhar.

SALMO A KORÉ
para Dora Ferreira da Silva

Ó divina emanação
lendo os poemas do mundo,
como extrair da brutalidade dos fatos
esse diagrama do futuro
onde se abre
aquela flor central
que é a essência
do real?
Ó doce e secreto
canto do destino
unindo os opostos,
como chegar à experiência de
dizer *o outro*
através da tua transparência?
como reconstruir com palavras e sangue
o teu jardim?
como escutar a visão
das coisas
que unem em si
interioridade e contemplação
e despertar a graciosa força
que nasce desta fusão?

CARTA A RIMBAUD

Caro Sr. A.R.:

Percebo com clareza por que o Sr. parou de escrever e trocou o açougue metafísico da literatura pelo tráfico de armas e o comércio de putas na África ou seja por DINHEIRO. Duvido que tenham compreendido o significado dos seus raivosos hieróglifos... Sim, *hieróglifos*... Agora eu olho para os céus e sei que ela está morta... Hoje só alguns babacas ainda se intitulam poetas, eu como o Sr. desejo profundamente destruí-la ou fazer outra coisa... talvez, reduzi-la a cinzas e fumaça *oceânica*... *Quem sabe,* a fumaça oceânica do humano sonhada por Kant em seu leito de morte... Às vezes tenho furiosos ataques de poesia, confesso que a claridade não é suficiente para me proteger dela. Nestes instantes abstratos tenho a impressão de que apenas o ridículo espírito existe, como se o mundo inteiro existisse apenas em minha imaginação e não houvesse nada além do eterno e maldito demônio do *si-mesmo, caindo neste abismo de loucura desenfreada onde o único Deus é o Dinheiro.*
As coisas aqui em essência continuam as mesmas... A vitória do caos e das imensas zonas de nada que tentamos contornar, com estudos cênicos... Mas o Caos não é um teatro... Embora o horror seja apenas um cenário a ser destruído com muita calma pelo tempo... *Esse dilúvio de infinitos...*

MEDITAÇÃO SOBRE O TEMPO

> "Mas a intuição metafísica, embora só possamos chegar a ela pela força dos conhecimentos materiais, é coisa totalmente diferente de um resumo ou de uma síntese de conhecimentos"
> Henri Bergson

Dar um sentido
'místico' ou 'teológico'
à palavra
não fará de um poema um poema;
as considerações de Carlos em sua rosa
não ajudam a tornar este campo nítido,
são uma tentativa fracassada
de adestrar a névoa emocional,
também não ajuda muito rastrear o não-poema
ou o eu antilírico através de um inventário
da nossa misere cotidiana
e de sua burocracia vital
que jamais se desintegra
com seu poder de adensar a névoa;
algumas palavras e ideias
surgem como sonhos
em brechas e zonas intocadas
da vida,
uma inusitada música rompe
a aura de silêncio das coisas
e é como se houvesse a sensação da presença
de uma mente exterior pensando através
dos poemas,
às vezes essa música se perde
entre o pensamento e a expressão

*quando a energia que alimenta estas duas luminescências
não provém das coisas,
então, o que temos é um poema entre aspas
que serve apenas para ilustrar
uma vida entre aspas?*
mas no mistério do jardim há algo
melhor do que uma resposta.

O INSTANTE

ponto de encontro
entre dois infinitos,
onde o nada
é impossível,
e a impossibilidade
de apreender a essência
de tudo
nos nadifica.
Acordaremos para uma paisagem involuntária... Uma verdadeira invasão...
a partir do epicentro de um falso sentido de uma fumaça... Que respira
luz através dos cabelos... Parada no meio do céu... E não cessa... Amanhã
estará lá... Outra vez... Inimaginável e incompreensível... Desapareceremos
dentro dela.

**RETORNAREMOS DAS CINZAS
PARA SONHAR COM O SILÊNCIO**

"Schubert sobre as águas, Mozart nos pássaros
o assovio de Goethe pela estrada Hamlet e seu andar
cauteloso imaginando
A horda criando coragem, nela acreditando
O sussurro nascendo antes dos lábios a folha caindo de nenhuma árvore flutuando
a Graça de uma casa que é erguida
antes que a idéia de construí-la seja esboçada."
Ossip Mandelstam

"Meu nome é nuvem"
Lô Borges & Ronaldo Bastos

"Deixam o céu por ser escuro e vão ao inferno à procura de luz"
Lupiscínio Rodrigues

"Silêncios imensos se respondem..."
Raul Bopp

CONVERSANDO COM EMILY DICKINSON E WISLAWA SZYMBORSKA

A prova ontológica do Real não é o que vemos, mas aquilo que escapa da trama da linguagem e pousa no interior e lá permanece em um estado de sono levíssimo esperando o despertar do amor supremo, que é a casa de Deus. A profunda amizade das coisas com si mesmas é o lugar onde participamos da fé como experiência, a união e a compaixão são uma ética do mundo tocado pela graça da Criação de um amor sobrenatural, o Sopro está no interior da luz e isto pode ser sentido, jamais compreendido.

Esquecer o prêmio mais que justo
por força, não por susto, na alegria rasa
minha risada guarda

em segredo
o silêncio de um mundo que a nega,
preferindo os tormentos do espírito como vícios
que nenhuma razão desintegra, a apenas imaginar
em qualquer cena mundana o afeto, que da alma
é breve chama, preferindo
tremer de lucidez
a querer a covardia
de ser apenas humana, ela e esse mundo
que vês
ao se olhar em espelhos te condena a rir de si
como um demente e a dizer
à tua imagem presa ali:

"Sim, Irmã, vale a pena
a alegria estranha e medrosa de morrer

em ti,
se o meu riso
assim, sem motivo algum provocares sempre."

sim o nome é uma torre
oceânica em seus contornos de névoa

o usamos como um pássaro em uma chuva de granizo
e também não ousamos
no buraco da árvore da linguagem não pousamos
porque
uma elegância divina ignoramos
sem contudo abdicar de sua
insuficiente expressão e prometida harmonia no decorrer dos anos
não será difícil saber que para onde vai o nome nós não vamos

doce e raro
é esse silencioso equilíbrio entre pensamento
e expressão, para nós
um equivale ao céu e o outro
à sólida ilusão do chão por hábito
em ambos ignoramos a mão
de uma divindade enquanto sonhamos abrindo
essa gaiola sutil que chamamos realidade

melhor se em nossa parca visão cantássemos como os pássaros
e a harmonia do ininteligível evocássemos
ou como a pedra com o inventor dos pássaros dialogássemos, talvez para
nós seu rosto sorrisse
mesmo se cantássemos tão baixo

entre um momento e outro não há espaço
para lamentarmos a perda de algo imensamente raro
selvagem como um temporal que devasta tudo
e a própria montanha dilacera, arranha mas deixa intacta
a folha recém-nascida a crisálida e
a teia de aranha.

indícios de falso desacordo não acordam
A voz que ouve um profeta
São águas sonhando escrevendo sua elegância nas pedras

deste Rio
que confundimos com o mar
assim meu amor por ti
ao criar a si desperta de dentro
de um crescente vazio vozes sublimes
que ao próprio Deus chamam porque se unem
ao que amam

Barco feito de troncos
Vagando em direção
A um oceano de lembranças
Que tempo nenhum alcança
Partes do infinito
Encontrando sem que saibamos
Como ou com que arte
Em nossos corpos
Sua melhor parte.

DE UM COMENTÁRIO
DE MAURÍCIO SALLES VASCONCELOS
SOBRE ERVAS LOUCAS DE ALAN RESNAIS
para Jean-Luc Godard

> "Se há aqui excesso de nomes e referências, sejam eles tomados como montagem, concebida num apoio cultural estilisticamente irônico (...) no esforço para criar o mundo, fábula última de uma espécie de montagem planetária segundo o medo sagrado e o exorcismo dentro das trevas. O filme projeta-se em nós, os projetores."
> Helberto Helder

Sim, as coisas são um incêndio
Permanente
No centro de uma circunferência onde nos perdemos
Para sempre

Pouco tempo temos
Para arder com elas
Nesse fogo
Que queima somente aqueles que
com a intensidade do mundo formam uma
só tessitura
e como ervas loucas crescem para todos os
lados apaixonadamente até que num Salto
atravessam
a si mesmas

como quem acorda longamente.

LÁ FORA

Lá fora
o poder de um fantasma
destrói o mundo devora
um filme envolve tudo nem uma só gota do
oceano do real podemos ver
o que resta
a um homem como eu:
a fé em si mesmo dispersa
reunida
pela força que rege a solidão?
o que podemos eu e ela contra *o não ser que é além*
de:
amar em silêncio
e ficar em casa lendo até que entre
o lado de dentro e o de fora

não exista separação.

O REI DA VOZ

> "Penetrar o âmago duma estação, penetrar sem devastação como quem sabe que a graça por vezes dói, é deixar essa medula onírica continuar pela restrição e sem rumor da admoestação."
> João Vário

Inspirado na obra homônima de Daniel Senise
A floresta fantasma
Contemplará o céu queimando.
Ninguém deixa de se matar
por causa da família.
Os cogumelos que nascem no banheiro o gelo derretendo no
Himalaia,
são como a floresta
O gelo é o rei da voz.
Cachoeiras congeladas não podem mudar nada. O mendigo com a
cabeça coberta de luz dormindo na marquise,
será o índio extinto. Sim, deixam de se matar por
causa da família.
O sol no Himalaia,
a chuva quente no mar
e os cogumelos no banheiro são como o Espírito Santo.

O silêncio do corpo
das crianças baleadas é o rei da voz. Corpos e nomes abandonados.
Hemingway termina um conto chamado:
'Cada isto lembra um aquilo' com a frase:
'e reconheceu com tristeza que atirar não significara nada'.
Hemingway & Yon Lu
Yon Lu é o rei da voz.
Existe algo em seu rosto no lugar do nada. ligando os tempos e as
frases.

'Cai para dentro'
Dirá o mendigo bêbado com diploma para o policial cansado.
Cair para dentro sempre estará ali
como uma ideia do impossível.
O pombo disputando um cabeça de peixe podre com um urubu.
O voo do pombo com a cabeça no bico é o rei da voz.
O céu queimando
Para um download das crianças mortas na floresta é o rei da voz.
Você é o rei da voz.

A SEGUNDA MORTE DE HELBERTO HELDER

para Itamar Assumpção (in memoriam),
Ursulina Maria de Jesus & José Aparecido dos Santos

> "A mão na pena vale a mão na enxada"
> Rimbaud

Canto 1

Sim
ao acordar,
Ele pode *ligar o lugar*
que será a irradiação do tempo
ao que começa e morre *nos sonhos*
pode assim se vestir de luz e de mortos
 furiosamente silenciosos furiosamente ausentes
para o paradoxo acidentalmente imaginados
do lado de fora que é dentro
como exercícios objetivos
de uma poderosa presença entrando pela porta
do orvalho dentro da geleira
ou acordando em uma *cama—savana,*
em transparências que fomos quando respirávamos sendo
parte das explosões
solares e das vegetais também árvores nos nervos
armadas com a beatitude louca de respirar tudo,
"acordaremos"
para a transformação
da manhã em velocidade do infinito
e para o ruído onipresente

das imagens,
para esse cálculo visual do verbo da manhã

que nos fazia mergulhar na compulsividade
do ato criativo
de certos expressionistas abstratos,
que projetavam na paisagem impulsos cegos
de mãos
deixando para um segundo momento a inequívoca compreensão
estilística
do impensável, ao vento igual a uma emoção
ligaremos sempre isso ao começo do não-lugar
ao começo do não-infinito das imagens resvalando

no sonho
onde agora sabemos
realmente nascia o tempo,
anteriormente sempre ali onde o Sol
jamais se levanta,
se espreguiçando *semieternamente*
em sua cama escura, o Sol e sua infância *sim*,
era a sua
recomeçando dentro de um pseudo-sono inquieto de espuma
absoluta
de um mar absoluto,
nós, também, os peixes menores pescados pelo que nunca e
jamais poderemos ser
como um reflexo luminoso nadando
dentro dele,
na parte do Sol que nos sonha, incandescentes por dentro
desse pensamento
que agora sabemos foi o êxtase gratuito,
principalmente o da destruição do antigo corpo
do amor

antiga casa temporal
onde *nenhum eu* entrava vivo,
até a destruição do templo-teatro dos raios solares nos campos
do cérebro mergulhando
no fundo do rio das veias, construindo o mar vermelho
de um lado do corpo *para o outro*
o que mergulha nos séculos dos séculos,
o lado sem nome, acordando *para contornar*
a tristeza cada vez mais abstrata da verdadeira ausência de
tudo, do vermelho que louva a força da sombra apenas
humana,
que louva o fato incompleto da evaporação da
consciência,
onde também sonhamos com a nossa mãe nascendo em nosso lugar,
chamando de volta
os dois lados do corpo que havia nos emprestado,
chamando as nuvens azuis para dentro do vermelho
que canta a força da estrela do não-tempo
acordando para a explosão do ex-tempo,
veremos o nascimento
da nossa mãe através da nossa morte, para que a nuvem que
fomos
possa arder,
veremos o amador transformado em *criança de água*
e em tempo do anti-tempo, recomeçando onde a mulher
recomeça, veremos a luz nascendo com ela
como uma ave
do Paraíso indomável, veremos através
da nossa morte estes finos galhos que foram veias
se convertendo em vento e novamente em veias
no olhar louco da nossa mãe com oito meses
e seu coraçãozinho sorrindo na superfície

do Sol,
sorrindo para o silêncio maravilhoso que faremos
quando nosso olhar
se apagar na superfície dos fogos ouviremos a trombeta que toca no
sangue
ressuscitando a misteriosa conquista do antieterno, nosso olho esquerdo
finalmente sorrindo para o direito. As ilhas siamesas:
Vida e Morte,
Anuladas para um Sempre mais selvagem, e nosso olhar livre
do corpo, secando e queimando enquanto *com as ilhas*
afundamos, como um canto dentro do silêncio, como a canção
do êxtase da carne no silêncio das ossadas,

principalmente a sua e a de Shakespeare,
principalmente a sua e a de Marcelo Ariel,
mesmo quando o corpo
é queimado como uma floresta o pó de tudo
o que fomos
é ainda aquele silêncio concentrado dos êxtases das ilhas
siamesas
que se separavam
na energia do silêncio e palavra, que jamais foram como ouro e prata
mas como luz e fogo
(O silêncio agora ilumina mais do que podemos entender
ou suportar, a palavra queima os silêncios que deveríamos ter recuperado,
queima esse oceano)
nossas mães nascendo em campos de silêncios
onde é longo o sonho
onde nos sentamos como um nevoeiro,
ao sabermos do nítido momento da nossa morte, a criança-relâmpago
tenta em vão
despertar o fogo na água.

Canto 2

Se você não está em casa o Amor existe
nas vozes
que lentamente se tornam asas de um pássaro
com as asas dentro da cabeça
enroladas como o silêncio dentro da pedra do crânio,
este que bem depois imita o vazio de uma concha, se você está quieto,

um cobertor vermelho cobre seus olhos fechados,
imitando o fogo
que aparecia sempre que respirávamos
incendiando devagar
a árvore perto do coração,
O nome desse fogo
acordando as visões
que se soltavam
do interior dos sonhos para fora do nosso poço
(assim elas também fogem para o lado visível e depois caem invisivelmente)
durante esse ato
as pupilas imitando cometas loucos indo de um lado para o
outro do céu
procurando uma aurora boreal dentro da aurora corporal.

Se você não está em casa sentiremos o instante como
uma tabela periódica da eternidade, uma árvore-pensante,
chamando o silêncio das vozes com seu voo imóvel,
depois, luzes feitas com outro tipo de matéria dos sonhos,
com paisagens
se levantando milímetros por década, se espreguiçando,
abrindo os raios e se afastando
até o centro multiplicado de uma nova visibilidade,

a visão de deuses se transformando na visão de cidades
no fundo do mar,
a memória no tempo como uma formiga em uma folha,
o incêndio ao contrário
chamado nascer
se convertendo em uma estranha flor animal com o mar dormindo dentro
dela,
agora ausência e vida se misturando como luz e água,
os mortos que eram águas que foram fogos queimando outra vez o silêncio,
olhando espantados a abertura
que liga os eventos congelados do mundo ao encadeamento
indestrutível
de um único fato chamado:
Entusiasmo
que evoca a imprevisibilidade
de uma alegria inimaginável tudo significando
a parte incontrolável de um mar
dentro do Sol
onde o imenso barulho dos vivos é devorado
pelo poderoso silêncio das ondas.

BLUES PARA MIM MESMO

Que eu caia no abismo do incondicionado
Que eu não seja Real que só tu o sejas
Tu que infinitamente és nadificado
Ó Laico
Santo dos Santos
que santifica o mundo
Onde tu estavas
quando cem mil foram trucidados
Estavas no grito
do filamento da lâmpada?
Na atenção das cadeiras vazias? Onde tu
estavas quando vinte mil foram empalados?
Estavas
no egoísmo dos plásticos?
Onde tu estavas quando quinhentas
árvores foram queimadas?
Em nossa voz derretendo
na casa vegetal da Alma? No túrbido heredograma?
Nessa rutilância sombria
se vendo em nosso sangue? Sim, sentimos o mar
dentro dele
como a

rua sem saída do tempo...
Em ti
o Anjo de Durer pede um cigarro de oxigênio
para o Saturno de Goya,
O que eles dizem um ao outro?
Tu o sabes?

É o nosso verdadeiro nome?
Silêncio Farnese: Camadas de névoa se adensam em volta da ficção dos nomes, mas
a fonte está no deserto...

BLUES PARA O FACEBOOK

> "Every person, place and thing in the chaosmos of Alle anyway
> connected"
> James Joyce em Finnegans Wake

uma sublimação da palavra: "CONTATO"
ou uma simulação
das afinidades eletivas em um
mundo
sem nenhum
Goethe ou Shakespeare; perdido
(O HÁBITO)
logo o perderemos...
(de empalhar o voo dos pássaros com a ponta dos dedos) afagando uma fogueira
com milhões
de cadáveres em volta do falso fogo
(mas...para o que deveria ser) a antipresença...
há o irônico-triste de uma política que mantém no ar os perfis dos mortos
que como fantasmas de um buraco negro engolem todos os outros.

BLUES PARA ANTONY HEGARTY

> *"o silêncio ajardinado"*
> Haroldo de Campos

entre uma flor ofertada e outra colhida:
a voz
de um anjo torna visível
este inexprimível amor
que é a morada da alma:
este sol da solidão e sua luz
nas lágrimas,
pétalas transparentes do corpo desse pássaro cujas asas
são o sopro do silêncio...

SOBRE A MORTE DE PAUL CELAN

O amor
signo estranho
em irreconhecível dique de silêncio
tenta esfaquear o tempo, esse sangue
como luz jorra,
como lágrima cai, lembrando o sino às seis da
tarde...
O pássaro-apocalipse vê nos carros mortos
enterrados que avançam
para a extinção no vento
em velozes esquifes gritam
o canto cinza
do esquecimento que contorna
o sono-vida. O homem vaga-sombra
que escorre queimando a lenha da noite,
a ponte, também contorna
essa luz que espeta estrelas mortas: Na manhã impera,
cisco-luz que revela
a farsa lógica do visível,

logo cedo cega... O homem corre devagar
mas não consegue escapar da ponte de luz opaca
que o cerca,
ofuscada criança-estrela-oceânica que sob o Sol e seus raios
da morte cresce,
depois, a cabeça pesa até a terra. Tudo ofusca,
apaga, mas não esquece,
de tanta sombra, o pensamento preso ao corpo, sempre
desce,

difícil amor-zumbi
que não penetra em nada, que é,
só o silêncio intocado o enobrece, mas não
queda-silêncio-esquecimento do lugar-esquife,
ou queda-silêncio-equívoco apenas
queda-símbolo
para o alto-fundo-horizonte-escuro de seu Letes.

DO GRÃO DOS SALMOS
para Dora Ferreira da Silva

A flor do altíssimo se escondeu na luz dos teus
olhos
que eles no terror do dia
entoem o hino silencioso que na madrugada
floresçam
em sonho
no teu jardim de perguntas
És como a árvore de água
plantada
no fundo do oceano como a árvore
de ar
plantada no vórtice da brisa
como a árvore de fogo plantada
na pele do Sol Tu és
e eu sou como
o silêncio congelado dentro
da árvore de terra silêncio

que
no devido tempo oferece a ninguém seu
luminoso fruto

SALMO DO RETORNO

Ó Sagrado escondido no terreno baldio, também
estavas
no encostar-se em um sofá para descansar as costas
Ó Sagrado escondido
no pisar novamente o chão
ao descer de um ônibus lotado também estavas
no copo d'água sobre o balcão
Ó Sagrado escondido
no guarda-chuva quebrado no meio da chuva forte também estavas
em volta do meu cadáver deitado
Ó Sagrado ali pousado outra vez puríssimo novamente intacto.

O CÉU NO FUNDO DO MAR: SEU NOME
(escrito com Mariana Ianelli)

recolhe a tua vida secreta como a concha devolve à água
nosso silêncio
e o ar: esse quase-onisciente cão da alma conduz a palavra até a
árvore
que a sonha...

- assim o nosso canto
surdo aos obreiros do ruído, alvorada sobre o pó
de setenta e sete mil, a essência
vizinha da querubínica voz que nos convida
a esquecer
o futuro para viver o começo,
esquecer o presente para viver
o instante, esquecer o passado para viver
o retorno,
a esquecer nosso próprio nome para ser
a *humilde totalidade*
que havia antes -

recolhe a tua vida secreta como a concha devolve à água
nosso silêncio
e o ar: esse quase-onisciente cão da alma conduz a palavra até
a árvore
que a sonha...

- assim nosso canto
atravessará este futuro & obscuro céu no fundo mar
para celebrar
teu segundo nascimento

NO SILÊNCIO DA INSÔNIA COM GLAUBER ROUBANDO A AURA DE UM POEMA DE H.M.E.

Posso ficar melhor se imagino um filme.
Não, melhor sentir do que imaginar, vem ver o projeto, essa dimensão estóica buscando o Real (como Proust)
Ainda temos que juntar muitas pontas
Habitaremos uma dimensão estóica onde o terror for nossa morada, quando a confissão nacional evocar
a destruição de todas as simulações.
Menos a do movimento involuntário das nuvens e das balas, o Paradiso escapando de "poder ser dito"
pela paisagem: o teu verdadeiro Nome fora das lápides.
Não podemos morrer sem filmarmos o Paradiso de Lezama Lima, infinitamente mais denso e verdadeiro do que Casa Grande & Senzala
Imaginemos que Rilke em seus jardins suspensos e Pessoa em suas quadras subterrâneas se esquivaram dessa sensação absurda de ostentação da perenidade.
Na cena um de Invenção de Orfeu dentro do Paradiso de Lezama Lima: Close nos anjos do Cemitério da Consolação e a voz de William Bonner em off:
William Bonner: Esse mendigo pensa ser Rimbaud, tudo nesse homem se parece com aquele mendigo que diz ser Rimbaud, mas nada nele lembra Rimbaud.
Comentário em Off de Antônio Cícero: Antônio Cícero: Exceto o olhar.
Comentário em Off de Guilherme Zarvos:
Guilherme Zarvos: Esse mendigo é o que Rimbaud seria se tivesse vindo para o Brasil.
Close no mendigo que está atrás da estátua do anjo fumando crack:
Mendigo: Eu poderia ser Rimbaud, se Rimbaud jamais tivesse existido.

Na dimensão estóica fui ver "Viagem ao fundo da noite" do Eric Rohmer, o cinema é como a vida que brilha e canta no luar. Não posso com um filme, impedir que se parta um coração, por isso fiquei encarando aquele mendigo.

E se eu não estiver mais vivo quando os pássaros da Amazônia saírem do esgoto?
O anjo foi internado por acreditar em fantasmas como você, meu devotado amigo desconhecido, você é a essência do círculo vicioso da ostentação da falta de centro dialógico, por sua causa o esvaziamento universal da alma de tudo não é mais possível.
Apoleia, númeno.
O amor é um falso campo de força, não é simulação de uma situação revolucionária.
Qual?
A fusão de todas as almas extintas no lugar da fusão de todas as ausências inconsoláveis.
Por isso, você diz que o caos é a incapacidade da nossa época de combinar o subjetivo e o objetivo num mesmo campo ontológico?
Sim, o mercado do intransferível.
O Amor foi esquartejado pelo vício do abstrato.
Mortos estaremos longe da capital da indolência e do cretinismo quântico.
O mendigo está segurando as transpérolas dentro de uma caixa de papelão.
As cinco caixas do correio interior.
Sêneca fumando crack com Catulo na cena dois de "Invenção de Eldorado"
Caixas dentro de caixas dentro de caixas: Símbolos e mais símbolos enfileirados como se fossem
um poema contínuo para este teu falso êxtase chamado 'ler o poema'

Anarcoterror
aqui, na África e na Antártida. *L'inesprimibile nulla.*
O poema absoluto

pilhando com os lobos e as ratazanas.
A filosofia total do Rei Miséria e sua medicina vaga. Milhões de universos contra o Nanoéden.
Certeza vaga do homem que segurou nas mãos de Mozart em seu leito de morte.
Venha a nós e ao nosso reino.
Doçura do último abraço de Spitter em Nietzsche Rogai por nós que

recorremos a vós.

Alegria dos moradores de rua ao serem poupados pelas hordas armadas.

Venha a nós e ao nosso reino.

Silêncio serenizado de Britten após concluir As Iluminações Rogai por nós que recorremos a vós.

Firme solidão e casulo azul do menino de cabeça raspada que está lendo Os pensamentos de Pascal no pátio da prisão. Rogai por nós que recorremos a vós.

Vae Victis.

> "Quando a beleza é superada pela realidade..."
> Glauber Rocha

EX-SINTRA

Nesse momento a coerência de um sentido histórico é a aura dissolvida dos raros destinados ao próximo desaparecimento patrocinado pela fantasia A-harmônica e infernal da inclusão do jagunço destemeroso, do caiçara doce e contemplativo, do caipira simplório e do tabaréu ingênuo no espírito nadificado do Atemporal porque eles não são a realidade dada, mas a realidade que deve ser buscada por uma equivalência entre essência e experiência no rastro do nume no lume, Azrael: a luz que apaga os nomes.

NO EX-BRASIL (XINGU INTERIOR DESTROÇADO)

> *"Ipsi te fontes, ipsa haec arbusta vocabant"*
> Virgílio

Sim, até as próprias fontes e o arvoredo te chamavam através da "Voz de Ninguém" em Rútilo Perigeu vagavam Mônadas em pó que escapavam dos ossos do evento invisível Brazyl flutuando em volta como um Ex-Algo em Tempos filtrados jamais reencontrados, espaços fantasmas onde outrora um fio ecoava sua aura se expandindo no olhar sem limite, no Sol aberto como um zero infinito como o da Mesopotâmia, gravada pelo fio-Hubble lendo a árvore.

VEREDITO

Não existe ausência efêmera por isso nós sonhamos com os mortos (Luciano place, Alfieri place) sem a necessidade de usar o tempo através dos sonhos telepáticos com o oceano. A consciência é um peixe-espada com oito asas muito difícil de pescar, Mr. Conrad.

Energia destilada do invisível nadando em círculos no visível, o esqueleto a visita.

Não é preciso dizer mais nada, minha sombra ao dobrar a esquina quis me abraçar.

A roupa lavada morre enquanto canta o Ali-Além do mundo ôntico, o perseguidor a veste em nós, o pano do sono.

J'Taime deixa marcas telegráficas no corpo como o anjo fabricado com o -------------------------------- morrendo e ressuscitando através destes sinais. No âmbar de tua face, o tempo e suas entranhas, miríades de chamas enquanto o arco-íris branco desperta os olhos dominados pelas portas enevoadas que sobem. Os que irão viver se agarram ao tempo esgarçado até que nas mãos sem pele e sem ossos só se vejam o brilho do pó de ouro solar.

Os olhos dos vivos dominados pelo breu são cobertos com um lençol costurado pelo abismo dos pólos atravessando a fumaça negra dos conversores de água.

Arrume sua cama para as dores imperceptíveis, o algodão e o linho sussurram e lutam com o Anjo.

A Glória não se despe, ela será o sudário-Terror.

Não haverá uma lágrima anônima enquanto uma estrela fecha os olhos?

CONVERSANDO COM EMILY DICKINSON

(sequência)

Sim, mas nesse Além encontraremos a necessidade do Real, ou seja, o próprio Amor e não a essência do Tempo, talvez um eco do Universo, do Atman no riso de Cristo, mediado por todas as coisas que se santificam entre si, desde que olhadas sem o pensamento interpretativo, com uma desprendida pureza.

Os olhos fechados se convertem em um véu capaz de encobrir a mera aparência, mas incapaz de encobrir Deus, o Universo é ele mesmo um símbolo de um olhar fechado pleno de visões intocadas e dizer isso é o mesmo que dizer, repleto de arcanjos e querubins, que em essência são visões que se deslocam do imaginário e o transcendem para a manifestação de uma música das imagens do que respira entre o que quer ser e o que precisa ser como coisas que jamais estiveram separadas do que está em estado de pulsação entre os mundos inferiores e os superiores, da visão genesíaca.

    O próprio tempo
    está entre o degrau e o desenho da escada poucos descem até
    pontes tão puras
    o Além e o Sempre em bases firmes
    O Deus
    no Sempre-Visível o Além
    na manhã do sensível

    Feche os olhos
      e seu amor atravessará
      uma morte
      dividida em alegria e   tristeza
nada pode ser tocado
em sua inteireza
com os dois olhos abertos pode ser que o Real
te veja

(final)

Mãos de ninguém
Professam uma delicadeza
Suprema,
não existir é para
o intocado como lágrimas
que jorram em sonhos sem existir
podem sorrir

SOBRE O TEMPO

Ali está o tempo como coisa que não pode ser contida
jamais ignoramos sua potência flutuante que a tudo limita e
essências paralisa

nenhuma razão humana
tem o poder de evocar a força capaz de o transfigurar em
benevolente eternidade.

fora de toda palavra em uma Paixão secretamente
se move o que é maior
que o Tempo
Oceano onde o rio do incomunicável deságua
e o infinito
através do instante contorna.

Ali está o Além-tempo
essência do maravilhoso silêncio florescendo no espaço
de um amor inominável
refletido na luz do incomensurável.

TERCEIRA ORAÇÃO LAICA
(escrito sob o pseudônimo de Francisco Solar em "Livro de Orações")

O Altíssimo
ao sinal da tua mão a porta do orvalho no osso
do vento estará aberta
ao sinal da tua mão a luz escura mergulha
no infindável riso do invisível
Eis a tua glória que cantamos na Casa do
Sol:
O hino da concha e o da pérola
no coração do raro colhida pela lágrima do
simples:
irmã e reconstrução do orvalho que é o silencioso
beijo na tua face *quietude da luz na alegria*
pura das manhãs

PRIMEIRA ORAÇÃO LAICA
(escrito sob o pseudônimo de Francisco Solar em "Livro de Orações")

O mundo se interioriza *em teu segundo nascimento.*
A Serpente usa o corpo como uma escada e sobe aos céus.
O Anjo de Durer permanece sentado porque não sabe dançar.
O Anjo de Novalis e do Klee olham só para o lado
onde jamais estamos.
O *Altíssimo* está em três lugares porque canta
com os Pássaros,
A canção do Ouro no raio de sol.
No túmulo dos ricos
os marimbondos cantam o nome que em si nada encerra.
Na entrada do reino estará escrito:

aquele que aqui entra, também erra não se pode prender
a luz em uma gaiola nem o amor
na terra

A LUZ ERA

A luz era
um filtro de silêncios, pousada em nosso rosto
como a insônia de um pássaro desde o início
Ela foi a claridade profunda da brisa interior
imóvel como eram na infância
as fugas onde o tempo
imitava a eternidade
e evocava
o poder da brisa oceânica que através da fragilidade
também ama com
cabelos de chama, outra luz
que na porta de sonho respira uma chave
de sombra.

TWITTER BLUES:

o namoro ontológico é uma árvore dentro de uma árvore dentro de uma rosa
a paixão ontológica é a porta-poema para a rosa de fogo se abrindo no âmalo do Sempre
ou a paixão é um pathos perigoso (para o egocêntrico) ou é a lógica do ser (para o raro)
lendo no lugar do sono e não antes dele depois dentro de uma incógnita
sonho que estou lendo o rastro harmônico do silêncio.
Uma rosa durável, honesta, incomparável é o lugar interior do sagrado (Maritain disse isso nos meus sonhos
Prefiro a gravitação e o esvaziamento no lugar da esterilidade e do desencontro ôntico
Café Montaigne, Hotel Proust, Bar Dostoiévski
O centro ontológico É um copo de água no fundo do oceano o centro ontológico se move mais rápido do que o pensamento.
ausência de centro: Sonho dentro do ônibus que estou caminhando na rua
A ausência de centro: "Um outro ali" e uma data como aquela no quadro de Magritte, ano 119.521
O centro ontológico: Encontro da nuvem com a neblina no alto da Serra

O centro ontológico: Relâmpago num dia claro
um mundo inautêntico ignora sua própria ausência de aura

words: esquizoclimatologia, anarconegócio, ontoterrorismo
estilhaçamento do espelho de gelo dos esquemas filológicos que simulam o poema
aqui e ali, os indícios de um Paradiso flutuante dentro do onirismo geral
Devir-Déjà Vu venceu, os artistas pensam como se fossem empresários da fome e os empresários da fome estão no poder
outro dia estava "em claro" no escuro e aproveitei para ler uma galáxia

simbólica sem nenhum eu possível
Diante da potência do irremediável a sabedoria do tempo e seu ácido sugerem uma ética da distração como um pseudo êxtase
ao retornar atravessamos uma floresta de névoas do desejo até chegarmos a um campo principal de suaves silêncios acesos
o céu era o cinema dos pré-socráticos, quanto ao fim do mundo, ora a morte individual é a democratização total dele. "All I believe that happened there was vision" (Seamus
Eu e meu clone-fantasma estamos pensando ao mesmo tempo, a névoa dupla da ficção-vida.
Ler Kant como quem ouve Bach, ouvir Bach como quem lê Kant é mais fácil do que ver tv.

Descubro que a palavra Éden também significa Estepe. Hesse e seu lobo do Paraíso.
caminhando na beira do mar entre o dia e a noite, pensando em Cortázar. O paradoxo, cronópios falhados fumando crack logo ali

em como o cotidiano é "transfigurado" pela arte, Tom Jobim "transformou" a reforma de uma casa em "Águas de março"

E SIGA ESTA ÁRIA-   A DOS AFORISMOS-NUVEM

o medo crê ou descrê. A sabedoria age ou não age. (de o Ex-Estóico)

em breve: o fim do tempo.

nascer sete vezes e morrer quatro, ter três cérebros e usar apenas um.

O amor é ofuscado pela palavra. (TJ)

Os eventos não tocam no acontecimento. (De 'Cubatão não existe')
Acordar é um transe dentro de um êxtase, morrer pode ser o oposto disso.
(De Barthes no Inferno)

O amor é o fogo e as projeções são a água. (De Barthes no Inferno)

O casamento do ilusório com o simbólico fascina as massas.

A poesia é a insônia da linguagem

o tempo não se fragmenta em tempos, nós é que nos fragmentamos...

Antes da "ressurreição total e geral" do Cristo a da chuva e do Sol.

Um pássaro pode derrubar um avião. (Sobre a função da poesia) a pré-história da telepatia
Escrevendo 'o rei da voz ' e ' acesso restrito'

o ser é o tempo lento do espírito

espaço interior e tempo exterior e espaço exterior e tempo interior são camadas do ser

os espaços e tempos simultâneos se movem paradoxalmente em todas as direções

o 'dentro' e o 'fora' possuem por sua vez seus espaços e tempos simultâneos

os 'n' tempos parados do agora se dividem em dentro e fora

o tempo parado do agora se multiplica em 'n' tempos parados do agora

o hiperreal do sonho leva ao tempo parado do agora
o hiperreal do corpo leva ao hiperreal do sonho

o tempo lento do espírito leva ao hiperreal do corpo

A fusão do mercantilismo chinês com a democracia dos países árabes é a responsável pelo celular de 5 chips a R$1,99 (Groucho Marx Cover)

A Cubatãonização do Brasil inclui a África (El desenvolvimentismo)

Morrer sério e viver rindo como um cadáver às avessas. uma ação chamada árvores elétricas

O espírito é lento mas não sente o tempo.

Ser nada para o mundo é ser tudo para o Ser que está em oposição ao mundo.

O amor pode ser cósmico ou cômico. Se for reduzido a uma abstração romântica idealizada é cômico!

O sexo pode ser cósmico ou cômico. Se há amor verdadeiro é cósmico.

"Se eu for pensar muito na vida/ Morro cedo amor" Nelson Cavaquinho

O tempo me parece imóvel e infinito, mas o modo como o medimos é mutável e provisório. para reler em 31/12/20999

o tempo passado e o tempo futuro são alucinações dentro do tempo ontológico.

o tempo de todos os tempos nesse tempo é o tempo ontológico e não o cronológico.
A paixão é a negação do ser imediata no tempo exterior e o amor a negação do ser imediata no tempo interior.

Debord e Baudelaire em uma casa sem tv, computador e rádio no alto Xingu.

Os eventos afogam 'o acontecimento' em um oceano de falsos silêncios.

Jamais utilizar as palavras "Culpa" e "Felicidade" seria como encontrar um diamante em uma lata de sardinha.

Cartola e João Cândido foram presos ontem para averiguações e logo depois liberados.

A paixão é uma patologia da ontologia.

escrever as palavras "verdade" e "tudo" sempre entre aspas, abolir a palavra culpa dos dicionários.

maura lopes cançado não conseguiu atravessar a rua e decidiu voltar para a prisão.

Dona Seraphina não sai mais de casa por causa dos "maníííco" significando 'maníacos'

Irã foi anexado à amazônia.

Palestina foi comprada por Banco Van Gogh.

a moradora de rua disse que antes estava em "cômoda" significando 'em coma' e depois que acordou foi jogada aqui

O homem bomba era um ex-médico da cruz vermelha.

Existe um abismo intransponível entre 'bagatelas por um massacre' de Céline e Monteiro Lobato

da miséria como lugar até a miséria como não-lugar e vice-versa

do nada ao "Nada", da miséria que pede até a "miséria que pode comprar"

nuvem quando sonha e névoa quando acorda..

entre o evento e o acontecimento: o abismo dos fatos

A objetividade de um ato de valor é medida pelo sentimento de urgência e não pelo senso de oportunidade.

COSMOGRAMAS — AUTOBIOGRAFIA IMPESSOAL

(Primeiro Movimento)

Seus olhos serão sempre
o paraíso aberto respirando sonhos seu rosto
desaparece e depois volta
entra no dia
como esse silêncio escrevendo seu nome: seus olhos
despertando para a visão dos oráculos cada vez mais
interiores lutando contra a aflição dos espaços em
branco se dissolvendo

na matéria escura (O transe da terra)
Aqui a maior concentração de ruído é em volta
da biblioteca,
a cidade e o silêncio não têm vez,
como em uma peça do Clube Noir a escuridão é o corpo do
silêncio fora dela, mortos em sonho,
a vida é um intervalo
que não sabemos aproveitar,
pensamos dentro de uma conexão constante que se torna com o tempo
abstrata.

(Segundo Movimento)

Acordar exigirá
uma codificação do estranhamento,
a linguagem entrará devagar em nosso campo, Ela
não é como a luz embora igualmente efêmera e

constante,
como esse surto cósmico das manhãs ela sequestra o ser
pedindo como resgate o ausente sentido para um
silêncio
tão antigo. Sendo assim nunca termina 'o
acordar'
Porque a própria vida não contém
suficiente espaço para
você despertar.

(Terceiro Movimento)

O poema pré-existente em camadas de tempo o
tempo
consumindo apenas a crisálida
deixando intacta a camada das sensações exteriores onde você jamais foi
atingido
continuam as ondas
do Sol de milhões de corpos formando uma única vida
da Alma
onde o próprio Sol é o óvulo enviando sinais
chamas de uma força metafísica maior do que o tempo

(Quarto Movimento)

Muitos poemas poderiam ser extraídos da Minima Moralia
ou do silencioso amanhecer 'Vá tomar no seu cu'
diz a memória para o Ser
é só mais um louco gritando no ponto de ônibus seu Maesltrom
Não, este poema não contorna uma nitidez estratégica até tocar o dia do seu

nascimento
tão obscuro límpido quanto o dia da sua morte 'Esquecimento é libertação'
diz a História
usando uma máscara de ausência segurando a cabeça do leão
'Me converto em impossível nada' enquanto ouvimos Extra data

do Sonic Youth no celular
é o som do espírito saindo, arranhando o crânio,
as sinapses etéreas fugindo para a copa das árvores, 'Mas eu deixo um rastro
harmônico, seus merdas' canta o próprio esquecimento
de dentro da explosão solar,
muitos poemas poderiam ser retirados de dentro desse silêncio
que se materializa como luz dentro do ruído que
somos, mas não há tempo...

(Finale)

Os aspectos cosmológicos e cosmogônicos estão na primeira camada chamada
de Infância com seus
olhos de cão, de boi ou de cavalo e os aspectos lúdicos na segunda camada.
Crianças grandes penetram
nesse jardim, crianças pequenas jamais saíram dele. Aqui sim, temos uma
metafísica da poesia ampliada

até o tempo-eternidade, como uma materialização das melhores
composições de Satie dentro do tempo sintético de Webern no espaço de
uma rua ou de um
dia. Na adolescência ou estado de perambulação interior temos a exploração onírica do acaso, algo que
nos aproxima de uma síntese entre o fogo natural e o sobrenatural, em outra
temporalidade que exige um silêncio de observação, que só teremos na

velhice e que deveríamos exercitar depois, durante o resto de nossas mortes
cronológicas ou solturas internas que só os que se afastam muito do barulho
do mundo
serão capazes de anular sendo 'Ninguém', principalmente do afastamento
do mundo coberto de códigos
de linguagem sempre se alterando sem significar jamais algo verdadeiro
como um segredo. Estes leitores
raros do véu não perdem o contato com o sentido mais simples e acessível
desse sentimento sem nome que jamais teve qualquer relação com a paixão,
com
o dinheiro ou com a palavra e serão capazes de tocar na árvore da transformação destes códigos que
fantasmagorizam o mundo em um abraço absoluto
e através desse abraço na árvore do conhecimento do real, chegar a uma
amálgama de silêncios onde desenho e símbolo evocam a única alma que
existe e é tudo e todas as coisas.

(Pergunta-Evocação no lugar do fim)

Para que rasgar *até o começo*
como sombras que se afinam em ondas
que foram palavras

e não água na areia?

Para que ser vento e fogo e canto e pranto
sem explicação para o encontro
do paradoxo do poema com o do amor do sonho e
sua canção,
tocando
dentro do corpo, escapando do tempo para pousar

no olhar
que incendeia um Sol,
dividido em dois silêncios,
para que se iluminem mutuamente:

A vida sem medidas e a outra que era só
ausência,
a faca das palavras a regia
sempre cortando a camada
da harmonia para cancelar o sono
no coração do fogo que ardia
fora do corpo que sem saber o trazia
morto
para um dia e sua alegria que não se dissipa
nem mesmo quando cessa a fantasia e suas miragens
que a palavra
no lugar do sonho erguia.

Agora ele sabia
que a razão para não ter um corpo
era o êxtase de encontrá-lo dentro
de outro.

Demônio terrível é o medo segurando
a faca

cortando os fios de silêncio
que contornam o Real
e sua maravilha, não sendo palavra
mas coisa sonhada
que aos dois ultrapassa.

Anjo suave é o Tempo
que luta com o Demônio e se não o vence
no espaço da ação,
convoca o sono da distância para acalmá-lo com a razão.

"A farsa do poeta morto"

A-DIÁLOGO:

Francisco Solar: A infância é o jardim fechado para a inautenticidade do mundo dos adultos, mas não completamente inacessível, podendo essencialmente ser visto por eles como o relâmpago no dia claro.

Marcelo Ariel: Mas ela ainda não é o jardim do Éden, é apenas o silencioso arvoredo do acontecimento inominável em oposição ao Devirdeserto dos símiles.
Francisco Solar: Entre o estranhamento e o atravessamento, os símiles optam pela harmonia do estático. Morte falsamente contornada pelo fulgor da mercadoria e pela ética do sono simbólico.
Oitavo fragmento do livro inédito "Amor e Silêncio" onde se dá a transformação do Self em vapor de orvalho.

> "O ar sonha com as coisas melhor com clareza, mas ele é
> o lugar do mistério"
> Sebastião Uchoa Leite

Marcelo Ariel: Sonhar com um eu que olhe para si mesmo como se a dor fosse uns óculos
os da Regra Secreta
e é claro incorporar este e outros vícios de linguagem
Ana C: *Like a linguagem é ela mesma um vício, honey?*
Marcelo Ariel: Cultivar um eu que atravessa falsamente o centro do esvaziamento da máscara
o do atores
Ana C: *Nos filmes, mas não apenas neles os mortos cantam, honey?*
Marcelo Ariel: Imaginar um eu que se estica até furar a casca desse silêncio
um eu angélico como uma bala perdida
capaz de romper definitivamente com seu hospedeiro
Ana C: *para ser puro como o que não existe.*

"A linguagem foi criada para fixar a vida, mas ela não consegue fazer isso, ela apenas cava a aura da vida, sua aura de acontecimento puro imune a eventos e outras simulações. Embora cave fundo e incessantemente, a linguagem jamais encontra um centro ou essência da vida para fixá-la em seu corpo de signos e sons. Por isso não acredito na linguagem como um lugar que será um dia visitado pela vida, ou seja, pela essência do acontecimento, mas apenas como uma ponte utilizada pelos que se afastaram muito dela por dentro para tentar atravessá-la e vê-la ao mesmo tempo, enquanto outros se afastaram muito dela por fora, para tentar atravessá-la e controlá-la ao mesmo tempo. Ambos fracassam, seja lá o que fizermos sempre estaremos nos afastando da vida por dentro ou por fora e estamos todos em cima dessa ponte erguida aqui sobre o rio morto das coisas-mercadoria. De um lado os escravos-fantasmagorizados por seu próprio reflexo nas águas do rio morto das coisas-mercadoria se encontram conosco; nós os enfeitiçados e domados pela mistificação da linguagem, os escravos presos na ponte, que para nós é um local de observação, nos movemos por dentro através da ponte. Os fantasmagorizados passam por nós e nós ficamos ali até que o silêncio e a morte unam as duas margens do rio, cancelando a ponte, finalmente fixando a vida em algo."

PLAY

para os DJs Maurício Salles Vasconcelos e Manuel Gusmão

Sonic Youth, Superstar
A tua imagem
É uma brisa de ectoplasma,
fina e transparente como a triste doçura de uma
artista
da fome flutuando
no véu que bebe o orvalho, tocando a própria
voz como um peixe sonhando
que é uma noz.

Milton Nascimento, Beijo Partido
A lucidez
se escondeu
no amor por *equações de sombras*
que explodem porque esticamos longamente os
olhos
em sonho
até tocarmos na
agulha que cava buracos na pele deste vaso,
no final ela também explode
a saudade até chegar no Real que é
a Rainha da Alma.

Billie Holiday, Strange Fruit
Ninguém imaginou uma sereia negra
no fundo do Mississipi, mergulhando na dor como
Sulamita

diante dos guardas, nem a igualdade começando
no alto,
e depois como todo esse sangue evaporada,
é improvável que um poema repare tanto estrago,
nem Eva

imaginou encontrar
em uma árvore feita de asas arrancadas,
um fruto tão amargo...

The Beach Boys, Caroline No
Fronteiras
dissolvidas por um beijo
desenhando a pureza perdida.

A radiação de um domingo infinito parando
todas
as ondas do tempo.

Duran Duran, Save A Prayer
Davi sonhou antes
com a migração da voz dos profetas para o centro da nossa
leveza pesada ser ampliado até alcançar
a compaixão do próprio ar
servindo de escada para a luz
do nosso olhar depois disso
o fim
da economia do sagrado e a extinção
das *categorias* sombrias.
(a guerra, o relógio e a propriedade)

Gnarls Barkley, Run (I'm A Natural Disaster)

Os cavalos e os coelhos míticos conversam sobre o *dromodrama*
enquanto observam os carros na avenida,
variações em negativo
de um Sermão de Emerson, nenhuma simetria,
dentro da harmonia oculta saberemos que o si mesmo
é um lugar
fora do mundo.

Jimi Hendrix, Axis Bold As Love
Sim
em algum lugar do nosso corpo, um centro
vívido escrevendo a partitura
do amor absoluto.

a arquitetura edênica
do início.

O Sol
é uma Rosa, as manhãs são seu perfume luminoso,

procurando tua outra face.

PARA WILLIAM BLAKE

Dear Friend

Se existe uma linha de pescar unindo tudo e todas as coisas, podemos esticá-la ad infinitum que ela, se houve a visitação da comunhão no silêncio, jamais se quebra.

A alegria do peixe não é a água mas o cardume.

Dentro do olhar dos mortos Moby Dick investe contra a Torre de Babel.

Não existem projeções no não-ser porque existe a natureza.

LA TENDRESSE*

(Primeiro Movimento)

medo infinito da água até ver
nela a sombra transparente presente,
quando a chuva cessa sorri
em ti

o que
só triunfa quando o corpo seca
antes em vida
nele explode um Sol
que em nosso peito arde
mas quando sua luz nos alcança
nada mais pode ser feito é tarde
desaparecem sem alarde
depois de comer do fruto
da árvore, seu gosto de cinza

antes ignorado
gosto do silêncio agora conhecido
luz que foi como vidro para o inseto que em ti
dorme
projetamos neles o mendigo no lugar da Ária-Cristo
apenas um eco do ego latindo *um foda-se não é comigo*
ainda assim o coração brilha e se parte
em bilhões de pedaços

basta um
para nos incendiar nesse instante

em que como o líquen, o orvalho e o flamingo seremos parte
da luz da estrela no mesmo instante em que
nascemos apenas para vê-la

(Segundo movimento)

Os Mortos são as Estrelas dos vivos

Um morto são todos os mortos mas um vivo está só
no meio das imagens
e cada dia é outro mundo outra dimensão
seguindo a Estrela que os mortos são

(Terceiro movimento)

apenas com o corpo como casa
o raio que em silêncio cai na água apenas com o corpo como
casa homem e mulher
caminhando novamente
pela estrada com a cabeça baixa desta vez, lamentando a
perda de sofás, cama, fogão e televisão *'luta de uma vida'*
dizem com a voz sequestrada
onde está escrito morte sem crédito
não apenas a luta do ser contra o haver da raiz da árvore contra
a energia indiferente da gravidade,
árvore arrancada, ali deitada
esperando para sempre por um Buda da miséria
e também a luta do existir apenas como antisonho
e a falsa inclusão
que inclui para excluir melhor depois tratado como bois, cabeça

baixa
a tempestade é só uma metáfora da devoção fingida,
omissão
e falta de consciência dos poderosos mas quando o povo *em geral* despertar *o povo em particular* terá força
para poder mudar

(Quarto movimento)

Mudar é um mito,
a materialidade é onírica
O capitalismo invencível

porque simula
os modos da natureza, mas nós imitamos quando
criamos
os modos do cosmo,
a natureza ainda mais além não é possível ver a mudança
de uma galáxia que some
nem assistir o crescimento de uma planta, tampouco a consciência
se movendo como a seiva
dentro da árvore seca do Sacrifício dela não vemos indício,
mas podemos sentir
a invasão das fagulhas de novas sinapses,
novas configurações da mente
nas crianças, nos loucos, nos índios e nos chamados poetas,
seus símiles novas sinapses invadindo
como estes desabrigados invadem os prédios,
mas as sinapses não dependem, nem esperam apenas invadem
como os sem-terra, os sem-teto
o espaço delimitado

pela impessoalidade do verbo 'Haver' em oposição com o verbo
'Existir'
e do mesmo modo que o bardo
chamou de impostores a vitória e o fracasso assim chamo de irreal tudo o
que tenta diminuir a intensidade do que existe
até converter o próprio Ser num fantasma

(Quinto movimento)

Sim, a geladeira foi convertida em barco ninguém falou nada dos cães e
gatos afogados
aquele menino no abrigo tem o olhar de um cavalo
um homem procurava na lama por um envelope com todo o seu dinheiro,
como um
garimpeiro

(Sexto Movimento)

A natureza tem seus momentos de *La tendresse*
A morte do orvalho, a da abelha no copo de cerveja
o arco-íris albino, o flor do mato crescendo no meu quintal, a chuva fina
desenhando um
Seurat abstrato
no Rio Cubatão, a suíte de Mozart foi *sampleada* dos pardais na copa das árvores,
como o líquen na rocha assim foi construída a casa na encosta

(Sétimo Movimento)

A unidade de tragédia unifica
a nadificação da essência separa seu poema é difícil
você fala rápido demais
repito o que me dizem constantemente para a Natureza, Deus de
todo capital fogo derretendo o ouro
ratos desesperados morrendo afogados no esgoto o governador, a prefeita,
a presidente
crianças-líquens na escola até mais tarde esperando os pais para o
fracasso do nanoéden
a multiplicação de Canudos sem nenhuma revolta cordeiros bebendo cachaça e
focas fumando maconha em cima de uma pilha de móveis na calçada
O museu de arte contemporânea do lixão incluirá todas as cidades

(Movimento Final)

Tudo lembrando uma cena de *Beasts of the Southern Wild*. Na outra
cidade-símile a
Serra manda lembranças para o mar, um aleijado em uma rua alagada
canta sorrindo com as muletas dentro da água: 'Onda, olha a
Onda\ Onda, olha a onda...'
em volta dele, centenas de cadáveres vivos no supermercado, um poema
termina sem
ênfase e sem emoção, porque não pode se ler através de você, do mesmo
modo a morte
não pode morrer, se você não viver.

(Comentário do eu exterior)

Percebo o vazio sem silêncio que é a aura das paisagens, sinal sutil da ausência de espírito, palavra que talvez não signifique praticamente nada, no tempo da velocidade dos assassinatos invisíveis, a verdadeira vocação das grandes cidades, é a vocação para o assassinato invisível, São Paulo, por outro lado, é o lugar ideal para a preparação das minhas aulas para um curso de silêncio, a ética do evento, para mim é apenas uma forma de contornar o vazio para tentar os silêncios difíceis, tão difíceis que ganham o 'status' de pequenas ressurreições do espírito, a carne, apesar da alegria, não ressuscita e isto está mais do que comprovado, mas o espírito, o espírito não é tão fácil assim de matar, sobrevive com elegância aos massacres do amor e da guerra, o espírito é a orquídea do vazio

* 'La tendresse é uma ilusão' ou Bela Tarr caminha em silêncio na chuva em Cubatão acompanhado pelo Arcanjo Gabriel do qual ouvimos a voz sem sabermos realmente de onde ela vem, seguida da exposição de um problema dentro do poema.

SALVE INFINITO
OU A MORTE DE CLARICE LISPECTOR
(com Beatriz Bajo)

A FUSÃO DO UM

,agora sou tudo,tudo o que explode, tudo o que racha , tudo o que fende e sinto um tipo novo de sede , sim , existe toda uma constelação de diferentes sedes dentro do corpo estou sentindo o desejo incontrolável de enfiar a cabeça dentro do oceano e beber

um grande gole de água salgada estou possuída pela sede demoníaca , perto de mim , na cabeceira da cama , há um copo d'água com uma rosa vivendo nele . Como será sentir a sede da rosa em um copo vazio ? saiu de mim ou do Deus a água que enchera o copo onde a rosa agora vive e eu tão menor que ela , tão menos sublime esvaziei-me para alimentá-la a fim de preferir sua vida menos maliciosa , menos consciente e por isso , com mais direito à existência, pertencendo ao jamais onde me agarro com dentes amarelados e unhas já esfoladas . Sou o que eu persigo . Todo rudeza . Todo imobilidade, na verdade , transformo-me nesse copo vazio . Sou o que veio antes da água e fui bebida num gole só, sei como é esta outra sede demoníaca porque estou morrendo mais rápido do que antes . Estou dentro de uma coisa chamada : 'Paciente em estado crítico' e essa coisa é como ser um copo para a terrível ausência de um campo de rosas vivas gosto de olhar a rosa e enxergá-la na sua existência de cor e perfume , porque instintivamente os sentidos me resgatam do esquecimento . Toda rosa é uma verdade que me alcança agora que finalmente penetrei no silêncio com as minhas próprias
mãos , confesso que minhas mãos se parecem agora com duas águas-vivas dormindo no meio do oceano , quando digo no meio do oceano quero dizer na parte insondável , estou pensando o seguinte : se me esforço um

pouco posso ver minhas duas mãos velando meu corpo aproveito para ordenar mentalmente a uma delas que me apanhe um cigarro , assim , por puro prazer em ver- me de alguma forma queimando , na tentativa de fabricar um hieróglifo- tatuagem na pele interior , embora não tenha mais importância saber qual é a marca do maço de cigarros que minha amiga trouxe escondido , dentro da bolsa — dispositivo flutuante que me aparta do naufrágio — , e minha mão esquerda dança até a bolsa no colo da minha amiga que está realmente dormindo e abre o zíper com o cuidado , como se desarmasse uma bomba , não gostaria que ela acordasse , o detalhe que dificulta um pouco são essas agulhas (novas bússolas através das quais me conservo ciente das inimagináveis possíveis direções) nos meus pulsos , esses dois cordões umbilicais que imagino me ligam mais a morte do que a vida , sei que não deveria pensar desse modo ,mas algo

se pensa e é porque estou vivendo na superfície do paradoxo de uma áspera desorientação que não alcança o que acomodava o ser
, gostaria de estar escrevendo o que estou pensando aqui na falsa escuridão interior da doença , o paradoxo é o contraste entre esta falsa escuridão profunda da proximidade do instante-verdade da morte e a iluminação suave da presença da amiga , luz e vertigem suave que toda presença é , o que me extrai do estado de quase não-ser é esta centralização dos volumes e estados, ajuda-me a fabular o meu estado físico de pertencimento ao quarto . Percebo- me no que se manifesta . A amiga que se lembrou de comprar minha marca preferida de cigarro funde-se com o que sou e com o Ser ao mesmo tempo , foi a coisa que o algo pensou quando ela sussurrou no meu ouvido : Clarice , meu amor eu trouxe um maço de Hollywwod e uma maçã, é óbvio que nada disso está realmente acontecendo e que estou dentro daquilo que em linguagem médica é conhecido como onirismo, onde a conciência não tem como saber se estamos sonhando ou acordados no entanto , tudo o que percebo é que a presença é como uma janela aberta para o que existe no fundo do que sinto sendo e não sendo ao mesmo tempo e sinto uma vontade imensa de acender

um cigarro no instante em que os olhos da amiga estejam quase apagados tentativa de vida da brasa entre os segundo sem tempos que se traga a fumaça da ansiedade-esperança-selvagem ,o tabaco que não se intimida entre as agulhas insistentes . o que mais prezo é a nicotina e recordo-me do que é nascer e morrer durante o que sorvo da fumaça , quando enxergo o Algo que pousa brilhante nas paredes verde-aguadas do não-lugar , elas se estremecem como as algas no mar que é minha alcova atual antes disso , no enquanto , enxergo do lado esquerdo da janela , logo abaixo da última esquadria , uma descamação da parede que aconteceu por causa da umidade dos tempos chuvosos .Já imagino os resquícios de tinta e cal embaixo da unha de uma criança levada pelo destemido desejo de apagar a mancha.. Penso no sabor terroso que pisará na língua deste querubim provisório e lembro da maçã tão verde que minha amiga me trouxe na bolsa uma bolsa parecida com a que carreguei comigo durante esses anos todos . onde pude projetar um mundo particular , onde levei-

me como um simulacro a tiracolo . E me lembro da moldura do primeiro espelho . do corte que adormeceu meu dedo e da lambida no dedo que indicava o pensamento . que dói bem depois
. me lembrei do sangue desimpedido desenhando um sorriso na pele . Do ônibus que cheirava a carne apodrecida que não era a minha . mas esse odor instigou-me a encarar a finitude .
Enquanto meu olhar fugia pelas janelas eu continuava sendo um pedaço rasgado de pele, apenas, e todo o tecido muscular que pulsava em um terminal rodoviário . À espera . Do mistério desse Algo refletido pela água dura dos vidros, me lembro que um pensamento me disse que " como uma atriz preciso sair de mim mesma para me ver no outro , mas se sair de mim mesma como uma atriz , não poderei mais entrar , não será ainda a perfeição da morte , apenas perderei o controle e o espelho não será mais o sonho congelado, dentro do apesar de , eu não estarei mais viva aqui e hoje e serei simplesmente meu passado sem sombra de atualização e não poderei negá-lo mais no presente , voltar a si e lembrar de si são

dois abismos absolutamente diferentes da capacidade de reconquistar a amizade com o animal do espelho que liquida o outro , por isso preciso sair de mim mesma , não como uma atriz , mas como uma solução-técnica para o êxtase , volto a pensar em minha bolsa , e em como meu destino é condicionado por essa sensação do trágico indo e vindo dentro da flutuação do tempo e por trás do trágico há o humor , o humor
da perfeição da morte e ele me parece socrático , tudo o que envolve a morte tem um ar terapêutico de cura definitiva e de limpeza das palavras esse pó da Alma, antes de vir para cá vi um bando de surdos-mudos dentro de um ônibus , eles eram idênticos a minha própria existência aqui nesta sala de hospital , há uma força neutra nesta lembrança que me transforma em um fantasma apenas por dentro do meu pensamento, a enfermeira acaba de entrar , ela é uma prova viva da violência do meu fracasso em sair de mim mesma, fracasso que no fundo me ilumina, como o fim breve da fase das escrituras , da fase bíblica. Que foi como o meio da minha infância , que é a única coisa nítida fora do desfoque , a literatura foi apenas um dos efeitos do desfoque , a enfermeira me dá uma injeção de morfina e começo a escorregar para o

supersono acordado ." Agora há um recife na minha garganta e algas que se enroscam ,tentando me sufocar ou me abraçar com o amor feroz . procuro o copo de água mas há embaçamentos e trinca-se a visão dentro da ilusão de consciência . Gotas de todos os medos caem e são circundadas pela solidão de dias e noites que passam por mim dentro de um lugar chamado ' instante- congelado' . Não entendo por que não consigo me desvencilhar daquele cheiro de carne apodrecida do ônibus . Mas também cansei de resistir e o aceito . inalo-o profundamente e toda a cena se reconstrói . a sensação é de que vem do velho senhor ao meu lado, que toma mais espaço do que o delimitado pelo banquinho do transporte coletivo que me aproxima cada vez mais de mim . Coloco-me numa posição de quase-saindo . De quem ? É desconfortável mas desaprovo o tamanho do senhor e o vejo , seu olho é de um branco tão branco que me esqueci do nojo da humanidade exterior e engoli-me como se eu fosse aquele buraco branco . Fecho os olhos e retorno ao quarto . engraçado como navego entre um pensamento e outro e o misterioso Algo permanece no mesmo lugar. E sei que não há culpas dentro da solidão profundíssima . Essas paredes me acolhem , mas como um abraço desengonçado do qual a gente deseja escapulir e não como o sempre-chegando abraço de Azrael, é sempre o mesmo cemitério dentro de mim, escavando minha alma que forja uma respiração de pássaro aquático . A mesma mão fria mexendo com minha veia de esperança onde o sangue é como a Graça , a mesma hora interior que não passa porque nunca existiu tempo algum . Quantos moram no instante-já dentro de mim ? se eu morrer, ficarei em quem ? qual escolha nos é permitida ? como se dá essa passagem de um sem-corpo a um espaço-fora-do-tempo ? aperto o medo afundando a cabeça no travesseiro , o Algo sem nome arregala os olhos do meu quase-ex-corpo e entro naquele branco-de-antes , consigo ouvir a voz da minha amiga ainda me chamando , o timbre é belo nessa altura da profundidade. Ela apertava umas contas azuis na tentativa religiosa de acalmar a si mesma, sobre meu estado, clamando pelo Verbo-é ,movo por dentro meus braços bem abertos no calor das veias que precisam, exigem descansar , este deve ser o segredo das nuvem sussurrado

em sua própria língua que jamais experimentei conscientemente,nuvens de sangue e de sonho, rasgando a cortina do finito, me lembrei de uma coisa , as estátuas dos anjos nos túmulos nunca estão sorrindo . Esse estranho contraste entre o não-sorriso das estátuas dos anjos e o sorriso totalizante dos mortos , é quase um contraste que explica tudo.Sinto que minha amiga acendeu um cigarro ou será que estou sonhando com o calor da fumaça de um cigarro soprada no meu ombro direito ou no meu braço esquerdo, se for um sonho não há muita diferença
o corpo fica desproporcional , somos apenas um olho enorme que investiga a antipresença

AS VOZES

Do Vento : fora do ruído das imagens cada vez mais altas por dentro (a mentira do acordar) fundamento de todas as religiões ou o medo de não--respirar mais o próprio eu sufocando de tanta luz ligando para o celular da morte e recebendo de volta a revolução da nossa menor parte que arde na chama de todas as outras mortes enlaçadas pelo sussurro branco desse ruído indecifrável tocando no esvaziado sentido de todos os números invertidos que cabem na poeira da luz que retorna ao toque menor do branco do olho que essa brisa parada anuncia antes de tocar a pele do tempo que é mais um pedaço de rasura dentro das ruínas do Hotel- Memória. Onde não existe nenhum rosto vivo.

(Ela olha para o relógio e diz) O Espaço que grita AGORA É NUNCA!

O Deus : -,Não é que eu exista e seja um pouco menos do que o que existe "atrás do eu", atrás do pensamento,o que o eu dissimulava para ser fora do verbo Haver. E que está dizendo desista : a regra secreta no olhar do tempo é esse instante de nuvem morta e transparente , como se fosse possível ouvir minha voz na voz de qualquer desconhecido desintegrando-se diante do meu olhar que foi e é a canção dentro do espaço do inominável

e será dentro desse instante branco como a senha no rosto da morta ou morto no interior de uma cela que é um jardim e uma floresta , desista porque o amor jamais desiste sobre a incidência que é a luz dentro de uma sombra que era o desejo de estar dentro de tudo . Delicada era essa costura em ponto de cruz ,matéria e antimatéria atravessando o tecido deslembrado do Real em que se perfurava a agulha chamada de A Alma, desista porque o amor não desiste , enquanto há no espaço de um nome um segredo que nunca se revelará enquanto gargalha alto , engolindo a súplica no olhar das nuvens , que estouram como o balão de água, agora Eu sou tudo o que racha ,tudo o que explode como a copa de uma árvore

dentro da semente, tudo o que fende e sinto um tipo novo de sede , sim , existe toda uma constelação de diferentes sedes dentro do meu corpo estou sentindo o desejo incontrolável de enfiar a cabeça dentro do Sol e beber o oceano, beber um grande gole de água salgada, estou possuído pela sede demoníaca , perto de mim , na cama , há um copo d'água com uma rosa vivendo nele . Como será sentir a sede dessa rosa em um copo vazio ?
Saiu de mim a água que enchera o copo onde a rosa agora vive e eu tão menor que ela , tão menos sublime ,esvaziei-me para alimentá-la a fim de preferir sua vida menos maliciosa , menos consciente e por isso , com mais direito à existência , pertencendo onde me agarro com dentes amarelados e unhas já esfoladas . Sou o que eu persigo . Todo rudeza . Todo silêncio,Todo imobilidade na verdade , transformo-me no copo vazio . Sou o que veio antes da água chegar e fui bebido num gole só, na verdade sei como é esta outra sede demoníaca porque estou morrendo mais rápido do que antes . Estou dentro dessa coisa chamada : 'Paciente em estado crítico' e essa coisa é como ser um copo para a terrível ausência de um campo de rosas vivas no Jardim. E me lembro de um sonho onde dois anjos conversavam e um disse: " Não há solidão se esta não desfaz a solidão para expor o só ao fora múltiplo"
E o outro anjo comenta: O Fora múltiplo é a amplidão mítica do mundo, os grandes espaços que se interiorizam através do canto e da dança, os encontros possuem sua camada sinfônica mediada por silêncios suaves e levezas gestuais, os sós e os profundamente

sós podem sentir a solidão se liquefazer nestes lugares amplos. E eles continuam
" Mas não há, aos meus olhos, grandeza senão na doçura.. Direi antes: Nada de extremo senão pela doçura. A loucura por excesso, a loucura doce. pensar, apagar-se: O desastre da doçura." Diz o primeiro anjo. A doçura é ela mesma o aspecto mais enérgico de uma antiga camada do ser, que contemplava a sua exterioridade a partir do fantasma do útero na fundo

do olhar do Outro. Olhar nos olhos deveria ser o florescer de doçuras perpétuas entre águias e leões.diz o segundo anjo e depois de dizer isto eles se calam para todo o sempre, é certo que ouvirei meu nome quando se apagar o seu.

Ela morre : – Com o coração hermeticamente aberto em um açougue metafísico durante os sete dias de um domingo interno ou imaginário, como qualquer outra idéia que tenta sem sucesso enlaçar o segredo do tempo que já havia antes do ser, cancelaremos todos os sentidos antes do verdadeiro fim e abraçaremos as asas da brisa acordada que nos alegrará com o frescor dos instantes que saltam orvalho adentro e gritam silenciosamente, tremendo como passarinhos entre as nuvens altas, o mundo no momento da separação entre a visão da vida como um quarto e a recém--chegada e logo esquecida sensação incompleta de sair de um sonho com o coração como uma luz enterrada dentro do sétimo dia do paraíso, estaremos no ventre do Real suspirando Algo dito por uma boca invisível , que beijará os despertares todos como a chuva beija o vento, dissipando num arrepio nosso segundo nascimento .

NUEVAS REVELACIONES DEL PRINCIPE DEL FUEGO
para Febrônio Índio do Brasil (trad. Alessandro Atanes)

Parte primera: Melancholia

El árbol soy yo,
cierra los ojos,
primero tu ves las armas del Sol: Las mañanas
y he aquí la belleza terrible moviendose en la piel del antisueño
y también en la del mar,
han aquí las nubes de sangre, caballos salvajes de la luz
montados por el viento,
este cuerpo del espíritu general, he aquí el cielo
que jamás será cómo los campos
porque es incorruptible,
a pesar del rugido de los aviones, evocando la rabia de los
pájaros, después verás tu el espectáculo de las montañas de
osamentas, casi tocando el cielo,
eso jamás tendrá su poder nombrado, será cómo el Sol.
Un Poder que estaba en nosotros, aunque no perteneciera a
nadie.

Ahora, verás tu la oscuridad dorada, no es un grito desde el
cielo
cómo el indescifrable canto de las monadas en oleadas cayendo
imperceptibles, humillando a todos los místicos
que van en sueños a correr por encima del mar hasta llegar en África
General,
ellos y nosotros, anestesiados
por la conversación silenciosa de las osamentas, que susurran en la hora
del despertar:

"A ti no te basta flotar por allí,
en el margen etéreo del sueño, ¡Hermano mio!" tras el que empiezan a cantar…
Y he aquí Él regresa desde las Áfricas Reunidas,
La belleza de las carnicerías
son cómo las explosiones solares, El piensa
Sonriendo por último la expansión solar
y tras la carcajada de los mangues y los bosques y también la de los países oceánicos,
dice la Estrella-de-Mar.

La desaparición de tu infancia
te saluda a través de la desaparición de las mañanas.

El deshueso de los bebes de ocho meses
te saluda, a través del fuego de las espinas.

La rosa congelada cantará el nombre de todas las cosas.

Todo cantará el triunfo imaginario del polvo humano, antiguas simulaciones y distracciones
hasta la esperada extinción, sin peso alguno ya en la memoria de las cosas.

Los insectos demoníacos hacen tregua con los insectos angélicos

Los grandes bloques de granito, somnolientos desperezanse, cómo los místicos,
vomitando abismos.

Nada ha servido
el lamento de la mosca,
inútil la confesión de las pozas de sangre secando bajo el Sol.

Inútil la risa de las semillas flotando por la brisa,
inútil la risa del diente de León saludando al polvo arrodillado delante del ojo del agua,
cómo Robespierre, cómo Gandhi, cómo
Voltaire.

Ah, la eternidad contorsionándose de hastío dentro de las piedras,
alejandose violentamente desde nosotros.
Y siglos antes la pirámide de libros
reflexionada en la sonrisa de Mona Lisa de todos los muertos.

Ah, las ecuaciones de la harmonía anuladas por el ballet de las
aguavivas.

Ah, los caballos marinos y las abejas sin algo de nostalgia
del polvo humano.

Ah, ahora podemos sentir al Sol cansado de nuestras
ficciones
clavando la mirada a la célula cómo si fuera Ícaro.

Y he aquí las nubes zambullen en el mar y los peces devoran los pájaros.

Y ahora, Centauros sin la parte humana corren por toda parte.

Sirenas sin la parte mujer
nadando en círculos cómo sus neuronas, Don Dante.

Fin de la parte primera.

La más honda salvajería es el deseo perpetuo por el fin del mundo, corriente en los niños de diez años del siglo 21 y 22. El amor, este virus espacial inoculado por explosiones solares a través da corriente eléctrica en nuestras neuronas, con él sueñan inmensamente los cyborgs del siglo 21 y 22, estos hiperseres que seguro lograrán mantener el rastro harmónico de la poesía. La más honda salvajería será la comparación entre un cyborg y un humano, en detrimento del humano, los cyborgs serán extraordinariamente superiores, cómo la Rosa Real hecha de materia reciclada de cadáveres fabricada por los laboratorios del Google Biologic, Rosa que dura más de mil años sin perder su olor jamás. No es ese mi mejor poema, el mejor poema de un poeta es su cuerpo que explota en el fondo del mar, un bloque de hielo en fuego, una pila de cachimbos de crack tan grande cómo un rascacielos en fuego con diez miles de niños bailando en su entorno y etc...

(O Espaço é Infinito)

COM O DAIMON NO CONTRAFLUXO

"Não morri na cruz de Sexta-feira da Paixão
e depois do terremoto segui minha vida pelo mundo
E esta é a terceira e definitiva,
Do Palácio Rio Branco raiará a luz do mundo antes do século 3.
O rei da morte será o rei da vida
o povo pobre será o povo rico
a cruz desaparecerá e os símbolos serão infinitos.
(............................)
O povo estará unido em torno do grande pajé,
espelho de Deus.
E os signos conjugados criarão o horóscopo
sem destino.
Querer é poder
e assim guiarei as doze tribos
em direção ao Inferno.
E das cinzas do Inferno nascerá o Paraíso."

Glauber Rocha

Ò SAGARBHA NO CAMINHO DO SABIJA-SAMADHI

Lapida o que no nome se cristaliza o _____ como neblina genea-
lógica, a visão de uma árvore *como um recado*
das Nebulosas
Eis o parentesco mais sutil que explica a palavra que costura em nós os
mortos, *Árvore*
O efeito é encantatório, *Respirar*
Primeiro êxtase dentro de Outra-Outro
Lapida o Rosto do que será este *Vento em*
duas metades, *Solar-Lunar*
Que o nome _____
Não te fará lembrar

COM LUÍS MIGUEL NAVA

Ali
A nudez
do outro lado da água.
Nesta página
O mar
da sua infância
explode
Criança de gelo
dentro da água
cercada de espelhos
explodindo pássaros
crescendo contra os flashes
destas manhãs,
que são como um poço de luz,
no fundo dele, as ondas
que querem por no lugar do mar
um relâmpago,
os últimos
que são o poema,
estão no fundo da imagem.
Seria fácil
comparar este garoto assassinado
com o campo de relâmpagos,
a luz mordendo a água,
estes poços de nudez,
cavados pelo Sol.
(O Mar)
Esta luz às vezes
é tão intensa

que a página fica
em branco.
#
Árvore de carne
onde floresce uma linguagem sobre a outra.
Fizeram furos
na consciência deste rapaz
para abrir
no seu corpo
uma saída,
e para o júbilo,
ainda há quem procure,
abrir na onda,
um sorriso,
costurar no orvalho,
uma lágrima,
alimentando a inércia
da deserção.

No fundo deste quarto,
precisamos acostumar
nosso com uma luz assim tão forte,
porque em nosso coração,
dorme a sombra
das vagas,
como alguém
depois de morto.

Rapaz raro, rapaz rebentação,
emocionado com o mar,
batendo com força, nas rochas,
até que elas fiquem como carne.

E virão ainda
as ondas
que estão ainda em formação
no espírito
e depois,
o céu
se livrando do sangue,
o mar indo pelos ares,
a pele servindo de céu
para o coração,
onde quer
que você se encontre.
Ela abre um buraco,
entra na terra
e um livro
poderá brilhar
como se fosse
parte do mar.

A FUSÃO DO UM

Você se levanta da cama dentro de um filme chamado sonho. Você está sentado perto de um lago e existem três luas no céu. *A ressurreição do mendigo foi mais importante do que a de Cristo, eles jogaram um paralelepípedo na cabeça do mendigo e no dia seguinte ele estava lá na esquina deitado nos sacos de lixo, ninguém percebeu porque o mendigo é invisível e a morte e ressurreição do invisível só é vista por outros invisíveis, um índio, uma criança ou um louco teriam visto.* Isso foi dito no filme chamado sonho pelo morto, que era muito parecido com Roberto Carlos ou com seu irmão que se matou tomando soda-cáustica ou com um híbrido dos dois. No filme as fusões são muito comuns, este aqui sentado ao seu lado é Hemingway-Rimbaud, aquele ali é Adolf Hiltler-Guarany-Kaiowá sentado perto de Nina Simone-Krishnamurti e perto do Roberto Carlos híbrido, um homem que se parece muito com você está olhando para as nuvens no céu, que entram umas dentro das outras até que do meio delas sai uma enorme escuridão e você acorda e vê Confúcio deitado em uma cama, bem velho e certamente morrendo, cercado por seus discípulos. *Ele permanece quieto, de repente faz um gesto muito lento com a mão direita, desenha um circulo perfeito no ar com o dedo indicador.* Uma folha seca entra pela janela, a luz aumenta, um discípulo entra trazendo um copo de água que deposita na mesa de cabeceira, um terceiro acaricia os cabelos prateados do velho ancião, outro tosse, a mão de Confúcio tenta esboçar um outro gesto, mas é interrompida pela morte no meio do caminho e você acorda pela segunda vez

EDWARD SAID OUVE A PERGUNTA DO ANJO

Por acaso serão vocês
capazes de revelar e elucidar as disputas
desafiar e ter esperança
de vencer
o silêncio imposto
e a quietude conformada
do Poder?

Se elevam acima da sombra
das Torres
o corpo das crianças
feito de nuvens de pó
flutuam por cima
de um lago de areia
 em volta de recifes de corais
flores de sangue desabrocham debaixo da terra
cada gota de orvalho é um cadáver,
Imensa esta nuvem
cobre o próprio Sol
A história não perdoa
Não, não existem nela
leis contra o sofrimento
e a crueldade
Por que motivo
o mal se transformaria
em bondade
amanhã?
Responde
Ó meu igual

Por acaso estas precárias
imagens e metáforas
podem trazer
a vida desta criança
de volta?

CONVERSANDO COM ROBERTO PIVA
E FRANCISCO CARLOS SOBRE AS FORÇAS

Roberto Piva: William Blake pajé forte andava nu no jardim de sua casa para trazer Éden de volta para curar a tribo inglesa, e plasmou todas as suas visões em placas para que elas fossem utilizadas para abrir portais
Marcelo Ariel: Uma das funções da poesia e da arte em sua impessoalidade cósmica é esta, a de abrir portais.

Roberto Piva: Sim, o próprio corpo é um molho de chaves cósmico-zodiacais, e abre vários portais, nas tradições antigas que possuíam uma alta tecnologia ou seja magia brava, o corpo é usado como mediador entre os mundos visíveis e invisíveis.

Francisco Carlos: Vocês vão mais para o lado dos místicos, é até válida essa coisa, mas para mim tudo é o corpo e existe uma imanência terrível que desconfigura um pouco estas noções de sagrado e não sagrado para além destas noções criadas pelos místicos e fenomenólogos dos estados alterados.

Marcelo Ariel: Voltando ao exemplo do William Blake, você Francisco vê os quadros dele, como máquinas capazes de abrir campos de experiências com outros mundos, te faço esta pergunta porque em seu teatro, sinto que acontece esta construção de quadros com senhas para novas visões metafóricas ou não, que ligam o mundo selvagem ao mundo das cidades, como se houvesse nas cenas aberturas que criassem atalhos, algo muito próximo das visões míticas criadas por Blake a partir do universo bíblico, mas obviamente você utiliza outras referências, do cinema de Syberberg, Godard e outras.

Francisco Carlos: É até possível, mas não é uma coisa que descambe para a metafísica, assim de uma maneira tão explícita, como a citada pelo Piva.

Roberto Piva: Mas a metafísica que pode ser vista nos meus poemas é uma figuração alquímica, como em Nicolas Flamel, uma conversa com as forças e deidades, como no Jorge de Lima de *'Invenção de Orfeu'* que ali teceu seu *'Jerusalém'* tendo o Brasil e seus simbolismos como fundamento demoníaco.

Fantasma de Pier Paolo Pasolini: Como diria Dostoiévski, o demônio foi criado para que alguma coisa, no universo improvável da metafísica se parecesse conosco.

Fantasma de Roberto Piva: O Brasil é isso.

RECADO DO ANJO PARA AQUELA QUE SEGURAVA AS FLORES DIANTE DA TROPA

> "São pouquíssimos os espíritos aos quais é dado descobrir que
> as coisas e os seres existem"
> Simone Weil

Podemos ouvir dentro das flores
o eco do silêncio
dos presos atirados no mar
cortando nosso céu
o que você agita diante da tropa
estas flores,
são como raios que se misturam com vossos gritos
vemos os fios da sua voz se misturando
com a fumaça das bombas
estes que estão no fundo do mar cantam vosso nome
Devemos descer
na velocidade das trevas
para lugar algum
a tropa avança
diz uma das crianças,
cancelada por vossas lágrimas
a ágora onde floresce ainda a ideia
da aliança
entre a exterioridade do espírito
e a outra, que chamais de *urbana*
por você, uma vez mais
a visitação do Anjo da dignidade humana
não, a criança que ordena, nunca ouviu falar
nas bombas de mel de Beuys
ela não pode ver a luz saindo do fundo do mar

da voz dos sem sepultura
convertendo a tristeza em coragem

O Arcanjo segura nestas mãos
que sustentam no ar, as flores
como se abençoassem a terra,
enquanto você chora,
professora,
décadas depois
Porque todos os tempos são simultâneos,
no antisonho, o Anjo mostra ao "governador"
agora, apenas uma criança assustada
a beleza & nudez da verdade
da luz que sai das flores
apagando as cidades.

MEU NOME É NUVEM
(URCHATZ GAZA)

para Mahumud Darwich, Samih Al Qassim, Tawfik Az-Zayad,
Fadwa Tuqan, Salim Jabran, Fawzi 'Abdallah, 'Issa Al Lubani,
Muhammad Al Qissi, Khaled Houssein, Cláudio Daniel, Hayil
Assaqilah, Um 'Ammar Hammuda Az-Zaghid, Habib Zaydan Chwikri,
Rachid Hussein, Hannah Ibrahim & todas as crianças mortas

I

Esta criança incendiada
em Gaza
é a mesma que está brincando
nos trilhos do trem no Brasil
em alguns minutos
 também será assassinada,
não, não são cães
são índios
vagando pela estrada
alguns irão morrer de fome
deitados na calçada
Leonardo Da Vinci
disse para a senhora
que os aldeões
chamavam de 'a mais feia'
que ela tinha aquilo que um dia
iria ser chamado
de 'o que é maior do que a beleza
por ser único e singular'
enquanto os outros cadáveres
tinham todos o mesmo rosto.
Agora vemos a mãe da criança

por causa do cansaço
parar de chorar

II

Em nossa ausência
floresce
em vão
essa devastadora expansão
que ainda é vida,
destino das coisas
que desconhecem
vossa presença.

A visão da árvore
em Jerusalém,
memória
de um voo imóvel
que em teu olhar
se move.
Ausência e memória
que se tocam
como o Sol

Sua é a morte
se erguendo no ar
como luz alada,
colunas finas,
nossos raios
caindo na enseada,
se deitam

no leito
de terra,
que és
muito longe
do rio
que o oceano quer

Tudo conter
sem corpo algum ter.
Eis a sina dos divinos
Que o tempo
sempre cessando
ousava conter
e a vida
sempre cessando
ousava ser
águas que são fogos
olhando

III

Você é a luz
sentada
no banco da praça
transformada em esquecimento
feito de sonhos
com sementes de poemas dentro.
Paisagens que jamais serão escritas,
frases para o vento
que ainda é carne,
para as luzes

que ainda são olhos,
para as Estrelas que se levantam
milímetros por século
para ver o que está em volta,
Estrelas-animais
olhando de baixo para cima,
sentadas como Lázaro,
se apagando rápido demais
como cidades.

Luz acordando pássaros
pousados nos galhos da árvore
que liberta do sono incendiado.

Canto que é alegria desmaterializada
deslizando dentro do tempo
o oceano girando
no escuro cada vez mais espacial
até que num momento
para de girar e depois de completar
uma Galáxia
em volta de todos os sonos,
de tudo e de qualquer coisa,
se cobre de explosões
e volta a se deitar
no banco da praça
 que será em instantes
absoluta
porque não estará mais lá

IV

Com as chaves no sangue
Eles se levantarão de seus túmulos
Como o mar caminha até as montanhas
em seu corpo de nuvem
e entrarão
novamente em suas casas

Com as chaves dentro
dos ossos
Eles irão acordar
do sono vertical
do tempo passado contido neste tempo
e entrarão
novamente em suas casas

dentro do Sol

V

Um anjo não veio segurar as mãos
do soldado
disse a pedra
ao se lembrar de Abraão.

Não há mel
dentro do cadáver
das crianças
como naquele Leão
que foi até o fim

um enigma para Sansão
antes que ele
sem olhos em Gaza
com o pensamento
nessa criança
ao aproximar suas mãos
das colunas
por séculos e séculos
que virão
unisse com a força de suas mãos
justiça e vingança
como se fossem
o mar e sua espuma

VI

Ame o que você odeia
cantam as hostes celestes
não podemos ouvir
e seguimos
disseminando
a peste
chamada
Guerra
Asas trituradas em trincheiras
improvisadas
com tijolos, sofás
e restos de ruínas
Não são asas
são corpos de criancinhas,
de suas cabeças

separadas
o brilho do orvalho
se refaz
e sobe até
um jardim
onde cresce
sem alarde
uma flor
que nenhuma bota de soldado
esmagou
que nenhum raio de explosão
alcançou
'Palestina'
diz o poeta
'Você é esta flor'

VII

O Arcanjo Gabriel comenta sobre os corpos dos soldados mortos

Primeiro aparece uma escada
e os corpos entram uns dentro dos outros
O corpo do assassinado dentro do corpo do assassino
como se fossem nuvens,
depois eles se convertem em orvalho
e aparecem nos seus sonhos
onde não existem
fronteiras, porque não existem países
Teus sonhos são a verdade

VIII

O Anjo Azrael responde ao comentário do Arcanjo Gabriel

Os corpos dos soldados mortos
Eu os cubro com minhas asas
depois o tempo para eles desaparece
os projéteis brilham
quando os toco com meus dedos
de névoa
o sangue é transformado em luz
o rosto deles descola e eu visto a pele
de todos os mortos
Sou uma escada que sobe pelo oceano
Até que aqueles que
 esquecem seu próprio rosto
cheguem finalnente nos céus
e contemplem A face
e ao contemplar a face entendem que
Seu nome, seu País e seu corpo
Sempre foram nuvens

BLAKE IN LOVE

A loucura das visões é rara
poucos conseguem sustentar uma visão
que se converte em pensamento autônomo do mundo
por isso é difícil que em nossa época apareça um Ezequiel
ou um Heidegger capaz de atravessar o abismo
e entrar outra vez no Jardim

DISCURSO DA ROSA DE RILKE
OUVIDO NA CRACOLÂNDIA

Quando o *contínuo* de um anjo
caminha na noite
Sereno
solitário como uma concha
a dois passos-luz
da tua cidade
você
terá a impressão
de ter caminhado
a seu lado, no fluxo
cantando 'O mundo é um moinho'
Somos abandonados
pela noite do sono
na dor de cotovelo federal
dos amantes que deixam este amor escorregar
através da sensação de invisibilidade
por isso o contínuo de um semianjo
Ou Outro
É avistado no espelho
Ou o Mar-à-prazo
a um passo-transparente e verdade opaca
da nossa imagem
nós dois temos a vaga
impressa naquele mar
como a antiga sensação de ser
esse ou essa
luz costurada do irremediável
como a possibilidade de uma porta

utópica
ofuscada
pelo movimento
do impossível
capaz de
irrealizar-te
ó semianjo que agora narra:
O garoto-garota-velho se sentou
no sofá jogado na esquina
me olhou e disse
escreve o poema
como se fumasse crack

COMO SER O NEGRO OU A MATÉRIA ESCURA

Aviso aos navegantes não irei usar aqui nenhum acento, a ortografia é o poder dominante, irei usar apenas virgulas e traços aleatórios como o dia e a noite, como estes sonhos, os verdadeiros dias e noites são como os sonhos, sem fronteiras e fora do tempo, nunca aconteceram

Começamos no presente atemporal eu, o negro e o mundo que é uma mentira porque a própria eternidade está em nós e finge morrer em nós

como é que algo pode realmente existir se a eternidade não teve começo nem fim

O que está atrás do pensamento é como uma vírgula nas frases do mundo podemos usar estas frases-frações do tempo como o ar usa uma carcaça, logo seremos uma cultura de carcaças dissolvida pela luz que é a única coisa

intraduzível

ela e as correntes

corrente sanguínea

corrente elétrica

ela e as correntezas

Onde o Orisà diz: os cinco sentidos

não tem sentido, nem direção

embora apontem para fora

para a imanência

a imanência é um perfume fotografado no riso da caveira

a tese do poema Ozymandias do negro Shelley

ou a tese do negro Shakespeare

só existe uma caveira formada por todas as caveiras

só existe uma rosa formada por todas as rosas

onde você tentou estar

a rosa negra

multiplicada pela matéria escura

isto deveria se chamar nascer

nascer ou se dizer
mas nascer é o começo de uma liberdade infinita
e ultrapassa a duração de uma vida

os três cérebros ofuscados por usarmos apenas um

não posso com essa linearidade dos massacres

ela, a vida fala agora , a língua da extinção

Marcelo Ariel tem quatro anos

e entra em qualquer casa qualquer mulher é sua mãe

o mundo em sua infanceanoessencialidade

no sobrenatural: eis onde realmente começamos

a vida é essa outra vida

nenhuma palavra vai entrar

nela

nenhuma divisão

nenhuma dicotomia

nenhum dualismo

O sono da linguagem

O lugar se chama Sete anos, o asteróide se chama

O Agora e rege a aparição das polícias imanentes

A morte é o instante-já congelado, o tempo é o instante-já derretendo lentamente o Iceberg-Eternidade

as bombas de nêutrons no mar de neutrinos

mas somos

imunes ao eu aos sete anos

O pólen negro descolando da Flor do Eterno

no transe do vento para os campos do interexterno

depois desenvolvi um comportamento cênico

por desconfiança

do mundo

onde não há vida, apenas sonho ou pesadelo

estamos nele para que ele conheça a vida eterna

para fazer a vida viver

memória gravada nas coisas

desconfiança do mundo criado pelas palavras

desconfiança do mundo criado pelas máscaras

desconfiança do mundo encoberto pelas capas

Assim jamais será possível nascer,

entre no paradoxo

do túnel fora do feminino infinito

para sentir depois a violenta saudade do feminino infinito

Myriam ou Eva são negras como Lilith

Estão dentro do Orisà, com o Arcangélico, o Querubínico, o Daimônico

Enquanto aqui fora lentamente nos transformamos em um vapor cênico

girando em torno do inalcançável

empenhados em expor

sempre para nós mesmos

uma esterilidade

facilmente adquirida

graças ao senso comum

que é nosso inimigo

caminho pelas ruas de cabeça baixa

como a maioria dos moradores de Cubatão

com uma fidelidade essencial

ao próprio obscurecimento

com uma camada enfraquecida de autodefesa

por dentro do cinza do ar

sou alguém que se descobre

infindavelmente negro ou seja

que descobre sua singularidade

seu pacto com a matéria escura

como uma matiz escura

da energia luminosa

e além desta destinação

tenho um outro acordo interno

com a invisibilidade, mas não com a nulidade

por isso este momento, este livro

a imunidade poética

dito isto

COMO SER UM NEGRO

começa

tenho 09 anos

costumo ser

convocado para comprar cigarros nas padarias para as ondinas do puteiro, esta situação vem da Fenícia ou do Egito

a iluminação pelos signos

não aprendemos a ler e escrever na escola, foi a vizinha

a negra Dona Marlene me ensinou

quando cheguei no sistema escolar

aprendi que um avanço para nós

é visto como um atraso, um acidente

por muitos, os que trabalham para o opaciamento do sublime,

no senso comum

tudo parece ser regido pela perda

do ser do tempo, do ser do espaço, do ser-do-ser

em nós há um Pássaro

que jamais canta

por isso jamais saberemos nosso verdadeiro nome

Um pássaro transparente

E um pensamento jamais pronunciado que é como uma borboleta

Aos 09 anos aprendemos a jamais pronunciar o nome desse silêncio

ensurdecedor, quis dizer, desse pensamento enlouquecedor

aprendi a dizer sempre outra coisa

a perder por delicadeza

e isso é parte do aprendizado

sobre o Sol

chamado

NÃO

Negro é um lugar ôntico

e Preto é um lugar social

soube desde sempre

que o ôntico

e o social

nunca se encontram

no mesmo plano dimensional

soube desde sempre

que a dimensão em que me movia e respirava

era a dimensão do nunca

A canção da inexistência, canção incidental para os hinos de guerra no sangue

O Orisà me diz que a humanidade profunda habita sempre a dimensão do nunca, que no presente a Terra é desabitada e pertence aos pássaros, insetos e árvores

E o que existe é a construção de um poema supremo na manutenção de nossa presença

O desejo coletivo que se manifesta pela destruição e obstrução de algumas destinações sublimes que incluem a DESTINAÇÃO NEGRO ÍNDIO o mundo dos pássaros-árvores

a viagem dentro do temporal estava nos nossos 09 anos dentro dos 07 anos, dentro do Pólen Negro

que é uma parte da matéria escura

o tempo exterior nunca será um poema

sussurra o anjo da História

promovendo este movimento que nunca será para a frente

como imaginávamos

mas para as origens, para o terror de antes da ausência

que neste momento que estamos vivendo agora

se confunde com o esquecimento do nome do primeiro negro a chegar aqui

para morrer

longe de seu Destino de pássaro-árvore

como nós

ou seja

Longe do Infinito

II

Ah, mais tarde te falo do sonho suicida que dentro do sono nos visita , da língua da morte que canta o contratempo, ah mais tarde ela te silencia a vida que dentro da voz das coisas te excita para além desta que jamais será a tua

Ah, agora és um ponto de tensão entre dois seres imprecisos e de dentro de ti mesmo, bem quieto e inimaginável o entulho de todos os tempos te pesa nas costas.

Carregando este carrinho de compras no sol de quarenta graus tu te sentes efêmero como o dente de leão que flutuando dentro de um ônibus lotado ficou grudado na janela

A música de Ligetti ficou ecoando em ti durante muito tempo após a sessão de Eyes wide shut

A moça branca me disse que morava perto, o suor caindo como sangue pelas minhas costas e face de vez em quando por um capricho sádico cai nos meus olhos e eles ardem como o Sol, a calçada me diz que não existe, nunca existiu nenhuma libertação

O espírito também está abertamente fechado

SEU APRENDIZADO RESIDE NA NÃO-ACEITAÇÃO DO FACTO DE SE SENTIR ESCRAVO

Algo fora do verbo que se conjuga humano

Apenas no futuro , me diz que

a hierofania é meu único trunfo

Emerson me empurra na piscina

O espírito da morte passa através da água

uma carne translúcida

que deve ter vindo do Sol

porque um de seus raios caprichosamente contornou meu desespero algum-alguém me puxa da água

e me coloca no piso de azulejos

milhares de pequenos quadradinhos azuis

Mondrian me espera

logo permaneci vivo

Em alguns dias Emerson é convertido

em amigo, em oposição e amizade entrelaçados,

chego na casagrande da Dona das compras

e ela também se converte em uma Eumênide

quer que eu tome banho

sou cego para Eros mas não para Erínia

deposito o afastamento em cima da mesa

coisas mortas gravitando em volta do corpo

vou embora, sem me importar com o Sol,

nem as Ondinas, nem as Eumênides

me atravessam, eis a única vantagem da quietude

o olhar é como partitura para o que não sabemos tocar

mas a harmonia estava lá,em sua forma matemática

antes do nascimento,

antes da equação do choro

que recupera o animal perfeito

mas o indizível permanece

disfarçado de angústia

o tempo passando nos ossos mais lento do que na carne

Diversas teias de Ariadne se dissolvendo, desenhando antes centenas de filas, a primeira para a matrícula escolar, a segunda para as projeções, a terceira para pegar o ônibus, a última

para ser salvo pela fé em atos impossíveis do pensamento

configurações da liberdade absoluta, tão inexistentes quanto o Nada ou a metafísica em uma blitz da polícia.

Percebi que a presença do Negro incomodava no meio das casas que almejavam o embranquecimento aparente ou seja a inclusão nas classes chamadas altas, os negros que não conseguiriam mais levantar a cabeça, desejavam os passes de embranquecimento obtidos dentro das famílias brancas, mas isso não acontece por osmose, nem por nadificações, como podemos ver ao ligarmos a TV em rede ou olhando em torno, estamos dormindo há séculos nas calçadas.

A matéria escura descendo até o campo de buracos negros com RG e CPF, com sua metagenealogia provisoriamente cancelada pela aura burocrática da falsa clareira das filas para a renda mínima. Chego para um debate sobre a versão teatral de A Divina Comédia de Dante no Sesc e um dos funcionários pergunta se sou o motorista do Sr. Ariel

No instante vizinho a este, o pedreiro nordestino 'Seu Elias', ao constatar que não tenho talento para misturar cal, cimento e pedras com a velocidade das máquinas sem biopotência, diz com uma voz de Buda falhado:

"Nem parece que é da cor, os da cor são todos bons em fazer massa"

Variedade da ausência de aura, criando novos agenciamentos

Ao pedir as contas, uso o dinheiro para comprar as obras completas de Cruz e Souza e de Jorge de Lima da Editora Aguillar

Jorge de Lima e Cruz e Souza rindo dos instantes de milagre no fundo do inferno.

Você nunca vai ser ninguém, lamenta Nietzsche olhando para o espelho em Turim em uma dimensão similar, um Nietzsche negro e outro pardo, encostam na parede, com as mãos na nuca.

Noel Rosa, o equivalente de um Rimbaud gago

Nenhum branco na cela

Nenhum negro no restaurante da Vila Madalena, onde entrei com minha namorada índia.

Tive duas namoradas índias, o amor reluzia no meio do mato

A menina Elza cantando com uma lata d'água na cabeça

como um golfinho brincando nas águas de um oceano inominável.

Indo um pouco mais para fora, sem revelar nada sobre a Alma, eis o erro maravilhoso do amor, me lembro que havia o medo de que a polícia fosse uma força como o tempo cronológico e me parasse um dia, caminhando pelas madrugadas da cidade

eu sabia sentindo que estava refletido em tudo o que respira

como um pedaço de névoa no fundo de um rio

exatamente como aqueles presos do Doi-Codi

jogados de helicóptero no mar,

assim eu caminhava pela cidade

dobro a esquina em dez mil anos de ontem e vejo centenas de carros abandonados, cobertos de folhas secas

e uma estrela do mar, que você carregava no bolso

uma que você encontrou no alto do Morro do Pica-Pau

antiquíssima ocupação desmontada pelo enigma da polícia ambiental, a estrela por dentro imita o movimento de uma porta

e para fora o de uma voz de uma criança dentro de uma árvore

deliberando a expansão sem fim dos limites

de acordo com esta roupa absoluta,

não, estou confundindo as polícias metafísicas

havia a polícia da coisificação do eu

a polícia da imaterialidade

a polícia da imanência

e caminhar sem medo pela madrugada fora do tempo

era uma reivindicação do impossível

o dinheiro estava colado na pele

e se dissolvia bem rápido

por causa do vento

das necessidades

onde todos escreviam um cronograma do fracasso da comunhão

através da quietude lúcida do apocalipse

havia paradoxos que iluminavam

como a chama flutuante das velas nas encruzilhadas

ou alguma outra luz apenas pressentida

como a iminência do retorno dos Deuses

que sussurram no ar dos massacres

Eis que é chegada a hora do conflito

em que solicitamos uma quota de brancos na prisão

e em que a anistia prisional deve libertar todos os presos

pretos baseada em uma equivalência de reparação

para cada 50 pretos assassinados um preto é solto

e eis que ficaram vazias as prisões

antes disso diz a pixação absoluta

As prisões são Senzalas concentradas

e as ruas ocupadas por pretos em situação de rua

são senzalas dispersas

O negro que se procura alcançar

Não é o negro histórico

O nome que se quer lhe dar

Não é o nome adequado

Sem nome, representa a origem da injustiça

com seu nome de origem é o Pai de todos os Povos

e diz a poeta na Casa do Sol

Não haverá a lúcida vigília, porque não haverá um dia

infinito, mas sim a noite sem fim, criada pelo gesto de retirar o véu branco que estava encobrindo todos os rostos e esta noite se converterá em prateada e depois em noite transparente e quando a matéria escura

puder ser vista do lugar onde antes nascia o Sol

o negro dentro do negro irá iluminar a transparência do ar

e neste ar genesíaco, extensão africanizada do não-lugar

que um dia foi a Terra,

poderão se abraçar todas as primeiras pessoas

tornadas terranas

irmãos e irmãs em alteridade

finalmente do lado interior

o que dissolve as fronteiras.

CHANGER DE VIE

Meu irmão depois de ter se suicidado

se transformou em um enorme mariposa negra que vive no banheiro da minha casa semi-abandonada

exatamente como os pretos que no dia 14 de maio de 1888

se transformaram em fluxo em volta de uma ideia de liberdade

irrealizada como a própria sociedade brasileira

apenas nomeada como evento

sem que tenha necessidade

de acontecer

A mariposa sai todos os dias

e retorna no meio da madrugada

a casa está fechada

as luzes apagadas criando

Um breu espacial

girando em círculos

dentro da sala vazia, do quarto

do quintal tornado um híbrido de jardim e terreno-baldio

simbólico para uso do eu ao qual é outorgada a posse do Terreno

sem contudo transferir para este terreno o devir terrano

em sua singularidade que se relaciona diretamente com o ser

e esta comunicação das ondas do escuro com este sonhar transparente, com o tempo e com o mundo, contigo, portanto

é como o horizonte de eventos

se tornando um horizonte de possibilidades

o voo da mariposa canta os massacres.

Agora estamos vivendo em um dobra do tempo, eu todos os assassinados.

Estamos em uma espécie de Congresso Nacional de Indígenas

e ele declararam que todos os pardos

são índios

olho para meu reflexo

no espelho do banheiro

e vemos o jaguar-orquídea

e através da matéria escura

ela nos vê.

AIRBAG
com Thom Yorke

A seguir a Guerra Mundial
dentro de um açougueiro com uma faca.
Depois
 estou renascendo.
Como luz neon,
pintado num muro
sempre renascendo.
Em uma explosão interestelar.
Depois volto para salvar o universo
do sono profundo.
Idiotas,
estou renascendo.
Agora estou em um carro alemão bem rápido,
sobrevivi porque
O airbag me salvou da explosão interestelar.
Foi assim que voltei do espaço
Foi assim que salvei o universo.

DA PRESENÇA

O Clonefantasma de Marcelo Ariel lhes envia esta mensagem
Direto de 'A vida não é uma lan house'
Em mi vida
El escuro me mantiene
mas considero
a existência
uma sonoluminescência
na esfera da iminência de nanoêxtases, balas perdidas, arquiteturas marcianas
sistemas de castas
com Harar e Adis Abeba
na rua detrás da Augusta
Parcas não sobreviveram
ao *nothing dont exist in the world*
não estaremos presentes
porque encontramos ontem
a banalidade deste horror
digno de um túnel
oceânico separando
nossa cabeça do corpo
espero que a mensagem não se dissolva
nesta conhecida vagueza
abstrata
que inclina a cabeça
para se aproximar
daquilo que me falta
neste instante
porque estou morto
através de você

sou seu inimigo
pelo mesmo motivo
que você me lê
não posso me esquecer
de você
apesar desta infinita distância
que nossos olhos atravessam
e se encontram
no tempo e na velocidade
da compreensão destes sinais

> "En mi vida
> El oscuro me
> Mantiene
> Cuando yo te vi
> En la lluvia me
> Prometiste tu sangre
> Yo no me quedo"
>
> The Mars Volta

NA CASA AMARELA

Ali se confundem as fronteiras
o documental
e o cênico
para que caia
a máscara
sem que o véu saia
Normam Rockwell e Bosch
dentro
o desespero
como energia autônoma
a alegria vencerá
a década
perdida
na esquina-janela-orquídea
anunciando a equação morar
O Angelus Novus
levantando a mão
como o de Durer evita
uma solução
enquanto
a rua apaga
no ar
um 'Jamais'
oculto
na multidão
flutuando no varal metálico
dos ollhares que passam
avança
contra o desejo de integração
a força mestiça do Não

DA INFILTRAÇÃO OU ALEXANDER SOKUROV CONVERSA COM ANDREI TARKOVSKI SOBRE A METÁFORA DA MANCHA NA PAREDE, DENTRO DE UM SONHO DE PETER SLOTERDIJK

É como o cadáver de uma explosão solar
congelado na matéria branca
me lembro da metáfora da cal no 'sangue sábio'
cifrada demais, como a do câncer nos contaminados
podemos rastrear um poema em um não-poema como
        *[se ele fosse um **Drone***
feito de névoa emocional

A mancha cresce até nos expulsar
de uma ideia concreta do ser como
uma chuva abstrata
de onde uma única gota sobe
a presença da energia movendo o tempo
a primeira memória como um duplo da morte
a criação do mundo segundo o esquecimento

Ela é exatamente como essa parede
Às vezes esta música se perde
porque a palavra não dá conta do Real
de novo descartamos o outro como
a placenta, este ectoplasma imanente *antes do eu*
a máquina de rastrear o não-poema

Sonhei que estava dentro dele
e árvores vomitavam cachorros
Hamlet dentro de Shakespeare

por horas contemplando um pássaro escuro
em claro, até que o grito do relógio
O relógio é meu *Mein Kant*
O tempo cronoilógico infiltrado no tempo eternidade
o não-poema que é um poema
Ela é também a ressurreição de Cy Twombly
em toda parte

Outra mancha:
Playboys estacionam três Mercedez Benz
no centro esvaziado de Santos-SP
e durante horas aplicam eletrochoques com uma máquina
no morador de rua
que se levanta como um albatroz
de dentro de uma mancha de óleo
no oceano

Galáxias distantes
Parecem não alterar nada
em nosso cotidiano
a ex-terra agora é uma mancha de luz
num sonho sem humanos
A morte de um poeta
parece não alterar nada
é apenas um raio atingido por uma árvore

"Quem perdido como vocês
em parcial
autoconsciência
pode prescindir
da insuficiente ajuda
da ficção destes êxtases gratuitos

e inesperados
escondidos
dentro da respiração"

Ó raio de Sol no fundo
de um rio que é o rio de tuas veias
Nome do anjo: Alexander Trocchi
E houve esse lugar de onde mesmo depois de morto jamais saímos
chamado 'o corpo do Outro'
com a névoa da certeza ontológica
trocada pela imanência

Além-Amém

'Se o Filho vos libertar,
sereis verdadeiramente livres'

Ele começou como uma mancha
que depois migrou para o Sol
dentro do útero

Esta outra mancha
vista do espaço
se parece com um ponto
na pele desse negro
se retorcendo no chão
por causa dos eletrochoques

Nós, os mortos
Somos esta mancha
Infinita é a parede do silêncio

DO NASCIMENTO
*poema-emanação em torno da obra de Milton Nascimento,
para José Aparecido dos Santos*

**TUDO O QUE VOCÊ PODIA SER / ENCONTROS E DESPEDIDAS /
NASCENTE / O QUE FOI FEITO DEVERA / O QUE FOI FEITO DE VERA**

o mundo
existe
se for sonhado

com o voo do pássaro
dentro do corpo
caminhamos
por estradas selvagens

como rosas
com o olhar
do cavalo
do boi

das sensações

abrindo clareiras
para este ser

(morrer)

Nossa casa
um sopro de energias
se movendo
"como um espelho".

para o tempo

somos tocados por todos
os lados

e essa simultaneidade
de instantes
sempre foi

a eternidade

O desejo
do rio
que somos
é que este Sol
entre com ele
no oceano

(cantando)

O *angelus-pergunta*
Não, no véu-paisagem
mas no sereno ininteligível
a voz que é também olhar
que apenas observava
de dentro dos ossos

agora é
uma luz que mesmo apagada
não se cala

MILAGRE DOS PEIXES

O Trabalho
como algo a ser abandonado
em função de lírios que cantam
este ar da densa noite
os deuses
Interiorizados
fora dos mortos

DEPOIS NÃO SERÁ A TERRA

A sindicância da vida pregressa
dos oceanos leva
ao medo do gelo estelar

o pequeno sono
e seu trabalho de acolhimento do cansaço
atraindo o sonho

como a morte evoca
o Sempre
dividimos
o que é
em partes diferentes
de anjos
Eudemonia
e hedonismo
sempre nos chamando
para a situação de rua
ou para a situação solar
depois de mortos
nos reunimos
novamente
ao corpo de sonho
para lá ficar

O POEMA CONTRA O POETA

para o peixe-rei do ar e a aranha-cristal, animais de 900 milhões de anos no futuro

Você passeia com uma biblioteca e um cemitério na cabeça
Sim, como uma sereia que mergulha em um mar de lama
produzindo bolhas de silêncio
a cada salto de boto-cor de rosa
recuperar por instantes o sentimento
da alegre inconveniência de existir
na direção de um céu
de um aberto da linguagem
do qual a língua
é apenas uma pipa
sustentada pelo vento
que entra

e quando suspenso
sustentado por este ar
seu corpo de sereia
se esquece por instantes
de seu molde
gravado nas ondas de lama
que *como nós* levam séculos
para se erguerem
e avançarem
na direção do Eterno

Carta à Antoine Emaz

Caro Amigo Antoine, como você também tenho predileção pelo pequeno, por estas
frações de sonho incrustadas na pele do ex-mundo como um cão em uma pulga,
Como poetas, como pedras atiradas com muita força no Rio Tietê executam três
saltos sobre a água para depois afundar com devoção ao desaparecer na superfície
para a assimilação de um
Harmonium-devir do fundo
do rio.
O que você chama de lama eu chamo de névoa
Este rio não pode ser confundido com o tempo cronológico, embora seja ele a
umidade-unidade
que constrói esta lenta nadificação-apartação-isolamento
estes espaços inadmissíveis entre a chama e o calor
da vela
Sim, algumas pessoas leem poemas
Porque sentem falta da realidade
não sentirão falta da que veem todos os dias
esta que é feita de sonhos e que se repete porque o sonhador
ou está morto e ainda não sabe
ou jamais existiu ontem
talvez ele tenha se misturado de uma forma tão absoluta
com este sonho
que se repete com uma ou duas variações
chamadas morte e nascimento
em muitos e até imperceptíveis graus
que se torna uma impossibilidade
perceber a diferença
entre o sonho e o sonhador
que em nossa pretensão
novamente te chamamos
Realidade.

Líquen, assim é colocada a questão
porque um poeta age pouco
sobre qualquer realidade
toma partido do indizível-invisível
sem contrato algum com a doença da verdade
ainda assim notamos
quando ele age, é pelo tempo de um poema,
de um livro,
tempo não-cronológico logo não econômico
sem a abstração perversa da troca do ser
por dinheiro, vida sem âncoras, sem arestas
por isso o peso
de um poeta é levíssimo
Está longe de ser peso nenhum

A MORTE DE JORGE LUÍS BORGES

Os olhos
sim
costumavam ser
com seus raios
o que palavra nenhuma ousou
tentaram envolver
com formas
este seco triunfo
do silêncio,
tocar na inimaginável máscara
do Eterno
animados por esta luz
que nunca esteve lá,
como aqueles estranhos
fantasmas ou esfinges,
a miséria, a riqueza
e a ignorância
que no *Logos*
imantavam suas mortes
através das estrelas;
é chegada a hora
de ser feita a refutação
do pavor de Pascal
por esta outra luz
que vem de todo lugar
para unir a brancura
da definitiva noite
a este dourado breu
onde o inescrito poema,

o grão de areia,
o extinto tigre,
o primeiro espelho
que refletia a árvore,
os livros que jamais foram abertos
penetrando nos livros que jamais foram escritos,
enfim, é chegada a hora
das coisas se recordarem
por si mesmas
de terem sido um sonho
o improvável sonho com a exterioridade

UMA HISTÓRIA SUFI

Ela era apenas uma pequena gota d'água de chuva,
que vivia no céu, no colo de sua mãe

A grande nuvem.

A gotinha estava com muito medo de cair
e disse:

'Mamãe, ouvi dizer, que quando
chegarmos lá embaixo, no céu de terra,
morreremos...'

(O céu das gotas d'água de chuva é o que nós chamamos de chão)

E a assustada gotinha continuava:

'É verdade que, ao chegarmos lá embaixo,
seremos devoradas pela boca da terra e desapareceremos?'

A enorme nuvem, que era sábia,
como todas as outras nuvens,
desviou seu olhar da face bem aventurada do Sol

e segurando nas mãos de seu marido, o vento,
tocou de leve com a ponta de sua língua
no ouvido da gotinha d'água e falou:

'Não temas, o futuro, filhinha,
estranho e secreto é o destino

de todas as coisas, que são o que são
e a essência de tudo é o amor infinito
que dorme em tudo... Não temas o teu destino...'

A gotinha não entendeu o que sua mãe,
a grande nuvem, havia lhe dito
e como já estava quase no instante
de cair, junto com as milhões e milhões
de outras gotinhas,
entrou em pânico, começou a tremer
e gritou bem alto e todas as outras gotinhas também gritaram...

Esse grito é o que chamamos de 'o som da chuva'

E, chegada a hora, as outras imponentes e grandes nuvens e os poderosos ventos se abraçaram com tanta força, que daqui, do nosso céu, poderíamos ouvir o estrondo e ver as faíscas, que saíam do corpo das nuvens e dos ventos.

Desabou sobre a terra a tempestade.

**Ah, lembram da gotinha d'água,
que estava morrendo de medo?**

Ela caiu no oceano

e viveu para sempre...

DÍSTICOS PARA PASCAL

Quem estará aqui
Quando a Terra cantar
Seus Salmos?

Distante da ordem por silêncios
fundemos agora
eu e tu
a ordem por diálogos.

Nós estamos
do outro lado
da Terra.
Ele está
do outro lado
da água.
Ele que esteve
no meio de nós.

O poder das moscas
maior do que o dos césares,
menor do que o dos anjos.

Sempre retorna
A força natural
que preterimos
em favor da guerra
com a morte.

O raio de Sol
Atravessa águas profundas
até chegar
ao lugar
onde ele não é mais
luz exterior.

NO PARQUE ANILINAS COM PHILIPPE SOLLERS

Você gostaria de entrar para não sair nunca mais, tudo estava fora do lugar e você teria desejado descer a longa ladeira escura como um Sol apagado, escorregar controladamente até o amanhecer, empurrado até a anulação de todas as forças para baixo com uma precisão misteriosa enquanto uma noção de ordem oferece resistência e toma o lugar do seu corpo, você continua descendo cada vez mais rápido e longe como os anjos que criaram as cidades.

Agora é preciso não sair mais: tudo está no lugar entretanto eu teria desejado subir uma longa avenida brilhante, caminhar até bem tarde, transportado até além de minhas forças, onde uma precisão desconhecida toma meu lugar, onde uma ordem me impulsiona para adiante, para cada vez mais longe.

Então, você vê tudo e ouve tudo ou, antes atinge um tal paroxismo da lucidez que muitos detalhes se perdem e outros antes imperceptíveis se tornam obstáculos para a compreensão da paisagem, como no interior da Torre de Babel ou numa estação de metrô.

Então não vejo nada, não ouço nada, ou, antes, atinjo uma tal confusão de detalhes que é o despercebido que se exprime em mim por acaso. Gosto do frio, que acelera os movimentos, da chuva, que os apaga, do calor, que os fixa e decompõe em curvas supérfluas, sinto-me variar com as menores nuances do ar.

Você sente os tempos internos como estações condensadas, o frio interno da melancolia, o calor imanente do entusiasmo, seus pés tocam o asfalto que deve ser destruído

um poema completo: a última cidade

COM ORIDES FONTELA

Tudo acontece
nas flores negras
a noite estelar
principal
mente
amando
o que não ilumina
mas vibra
preso
como os anjos
ao mito
dissolvido
nos espelhos
anjos de cristal
de sal
antes
anjos sem nome
depois
mortos sem o nome
livres,
para ver o silêncio

DOIS ÔNIBUS SE CRUZAM EM SONHO, NUMA DIMENSÃO PARALELA

1+1=1 como ir ao cinema e depois ver o mar
o discurso das ondas, o fim das fronteiras
nossa vida secreta
'A Ilha perdida', foi graças a ela que te conheci
Chet Baker sorri para Elis Regina
Uma tartaruga gigante
e um cavalo-marinho
Van Gogh sem o suicídio
Rimbaud sem a ida para Abissínia
A carne desce à lama. A chama some.
A Seiva se derrama. A terra chama
naturalmente livre
como uma borboleta
atravessando o ônibus lotado
como os silêncios intersiderais
depois descemos
parcialmente derrotados
para toda parte e todo lugar.

PARA A ROSA TRANSPARENTE

Você se levanta dentro
do relâmpago lento de um dia claro
Espelho de uma constelação de sonos
uma das funções da poética seria ampliar estes buracos de agulha
que são a própria assinatura do Sol no vidro
Se a alma existe ela não ignora
na caveira o sorriso triste
onde o tempo se apaga

UMA VALSA ABSTRATA PARA GILBERTO MENDES, COM TOM JOBIM AO PIANO

*A tristeza
está acordando
a beleza perdida
O sonho
da infância
O susto que sente
quem vive
a vida
sabendo
que a morte
caminha
ao lado de tudo
dentro
do orvalho
nome do mundo
dorme
a noite milenar
na manhã
triunfo do raro
a cada sonhador
trará o impossível
necessário
do amor*

*Me levem
Me levem
numa caravela
deitado na proa*

tocando a espuma
para longe, longe, longe
da ilha onde neva
em outro tempo
Me deitem
num colchão
de folhas mortas
Me escondam
Me escondam
No fundo mais fundo
desse horizonte
me libertem
lentamente
nesta calma
esplanada
iluminada
de nenhum lugar
me digam
Adeus.

LOCUTOR DENTRO DO CÉREBRO:

Por um instante
somente os suicidas vivem
com um motivo
movidos por uma lógica
nada abstrata
decidem colocar na palavra 'hoje'
um
audacioso sentido
uma nova camada
onde antes
o inconclusivo
reinava
ao lado desta esquecida senha
para atravessarmos
nosso próprio olhar
arrancando a flor do espaço
paralisam
a paisagem
com uma chave

um relógio congelado
que afunda
durante a ressurreição do oceano
interno
que chamamos morrer

está em oposição
ao relâmpago lento
chamado viver

MISHIMA DIRIGINDO A SI MESMO
NO FILME PATRIOTISMO

Mishima: Será um momento de plenitude máximo, não devemos encarar a morte como uma derrota, a morte é algo que está dentro da hipervida e não contra a semivida, a morte pode ser uma vitória. *Deem um close no sangue, quero que o sangue pareça real, como se cantasse, como se sorrisse para o infinito.*

Superclose em uma folha seca caindo de uma árvore, agora vemos a cabela de Mishima depositada em uma mesa.

YVES BONNEFOY COÇA O NARIZ, OLHA
PARA O TETO E DEPOIS COMEÇA A FALAR,
COM UM VISÍVEL INCÔMODO, COMO SE
ESTIVESSE CAINDO PÓ DE CAL EM SUA CABEÇA:

Yves Bonnefoy: A poesia (pausa) Não posso resumi-la, mas a poesia é antes de tudo um modo de lutar contra a linguagem. (pausa) A linguagem trinca a realidade, que é aquilo que substitui a representação mental. Pode-se fazer poesia por causa do sentido das palavras e entrar numa outra ordem de conceitos.

Yves Bonnefoy agora parece aliviado, como se saísse de um banho quente, e suas mãos começam a elaborar uma espécie de dança, similar aos movimentos de um equilibrista na corda bamba.

Yves Bonnefoy: A poesia não significa, ela mostra (pausa). Ela vem essencialmente do trabalho incessante. Não acredito muito em inspiração (pausa). É preciso provocar a poesia, ela é alguma coisa dissimulada pela prática comum da linguagem. É preciso quebrar essa prática, o que é muito difícil, porque somos prisioneiros dela.

SEM SENHAS PARA AS CINZAS NA ÁGUA

> *"Das coisas lançadas ao acaso, a mais bela, o cosmo"*
> Heráclito

A luz do ser é como a água
também veio do Sol
onde todos os planetas querem entrar

Dentro do Sol
O ser é imóvel
como a gratuidade de um êxtase
parecido com a respiração

Fora do Sol
o ser é móvel
Tempo eternidade
e tempo cronológico

A água é a Alma
dentro do corpo
Em um quadrado
há um triângulo
de fogo
dentro do triângulo
um eneagrama
de ar

Em nós
a água
é o que ama

enquanto o ar pensa
e a emoção é a chama
que o incêndio da morte
alimenta

A água é o que sonha
o que o tempo desenha
os círculos que somos
criados pela pedra
que afunda
quando acordamos

O Eu
é o vapor que se desprende
do gelo:
essa ilusão chamada identidade
no fogo do Ser se dissolvendo
Quando dizemos *Eu*
a alma que é a água dorme
e o que perdemos é a nuvem
do que não sabemos

É música tudo
o que a água pensa
No rastro das nuvens
se esconde a harmonia
dessa sentença, mesmo na tempestade
o relâmpago
rasgando o ar
é um silencioso canto
mas o trovão, quer nosso despertar
e fracassa, esse rugido estelar

que acorda em nós, apenas medo e espanto,
para a estrela retorna
silente fúria
que não compreende
nosso pranto

CARTA-ORAÇÃO
para Lila de Jesus

> "Se a semente tivesse personalidade; A árvore não nascia"
> João Guimarães Rosa em *Ave, Palavra*

Cara Irmã, sinto que caminhamos no centro de um ex-opaciamento, escutando o que a luz escreve com a tinta do silêncio nos galhos da árvore sem-fronteiras.

Como seguir esse rastro-evocação de um bosque ontológico sem desaparecer entre as árvores? Tão fino e sutil é o mistério do mundo sustentando o simplesmente ser.

Como são transparentes quase até o inexistido estes muros que já não separam o Um do um, o ser do Ser, o outro do Outro. Tão fina e delicada é a chuva lenta e vertical que nos atravessa por dentro, erguendo nossos fios até o lugar da santificação de tudo e de todas as coisas por tudo e por todas as coisas. Que passo-poema é esse onde um pé se levanta e o outro ainda não tocou o chão? Que Amor é, até além de suas margens, sustentando nossa ignorância do abraço da nuvem, do olho vegetal que na copa das árvores sorri para a nossa Treva?

Quantos lugares estão agora anunciando o Reino, a Maravilha, o Xingu mais perto do que Ítaca. Cada mão tocando outra liga as ex-ilhas criando a Terra firme do Corpo da Graça onde as batidas do coração são uma Oração.

Dentro da menina oceânica: A Índia Solar-Lunar: Dentro do Índio Solar-Lunar: O Cristo Shiva ressuscitado: Dentro do Cristo Shiva ressuscitado: O começo da Terra Dentro do começo do céu: A Aurora Dourada: O Alher: O Âmalo:

Todos os fios entrelaçados brilhando intensamente no meio dessa luz fraca chamada escuridão.

E SEMPRE HAVERÁ A DEMANDA DO NÃO-EU EM ALGUM LUGAR DE MUNDO NENHUM

escrito para acompanhar as imagens mestiças

1.
Fala do semianjo

O homem é um pássaro que deu errado
O cão é um pássaro que deu errado
O pássaro é um peixe que saiu errado
O amor é uma tentativa fracassada de consertar tudo
mas ninguém ama o suficiente para isto
A árvore é uma explosão estelar dormindo
A explosão estelar é uma árvore acordada

2.
Fala do Daimon no Impessoal

Se somos excepções a uma
regra que não existe
temos de nos abandonar, ainda
que momentaneamente
até que os Deuses sejam mais
que a encarnação
de nossa ausência,
nos dissolver
na natureza
onde a alma
se confunde,
onde existimos

e isso não é tudo
nem nos basta,
onde tudo se Outra
e o animal porque não pensa
quer viver,
não para ser
um facto,
mas para simplesmente ser
e até a tristeza
nele é fonte
de energia
por ele não o saber
que animal é
ou que Deus
ou que Universos.

3.
Como furar o Real

Olhando um espelho durante oito horas
a imagem desaparece e
quando os dois lados opacos
do espelho refletem a matéria escura
nossa verdadeira imagem
sem ressonância
com nossa imaginação
começa a furar o Real
uma tela desligada
ou em standby
começa a refletir
o hiperdevir

mas nenhuma tela
emana sua água congelada
até tocar o a essência onírica do sonho
que tentamos furar
com os olhos
quando acordamos

4.
A imagem é a lápide do sonho

5.
Segunda, 01 de maio de 2035

dissipa a névoa porque nenhuma palavra entra, é um peixe nadando dentro de um pássaro, dos pássaros, o paraíso que está nos ossos de quem o vê, jardim em volta do teatro, anjo do lençol freático procurando a música do inacreditável componente bacteriológico que criou a sigla do líquem dna de deus nume ah mundo deveria ser escrito com h de bomba h, fragmento de IHVH cancelemos a necessidade de UM em troca da imanência de nenhum, isso é similar ao truque da fotossíntese do caracol escondido na tese do ator-botânico W. Sebald, é similar ao nirvana da ausência absoluta

Domingo, 17 de outubro de 1888

As projeções são um pesadelo do sono-acordado rejeito todas as projeções, de todas as versões de mim gosto da que o invisível permite que se manifeste, a flor negra dentro da matéria escura, existe mesmo uma realidade que as desesperadas vítimas do culto da felicidade obrigatória jamais perceberão, este culto é a magia negra que resistiu ao enterro de um século que sofre de catalepsia, o século XX, a energia da recusa não deve ser confundida com a resistência, resistir é projetar a força que deveria ser usada para criar uma nova instância e uma nova temporalidade, poetas são sadhus que renunciam justamente a todas as projeções e capas, a morte (principalmente a morte voluntária) dos poetas se dá pela aceitação de projeções da vida que nega o direito ao 'wu wei', pelo wu wei e contra o 'resistir', não existe nenhum sistema, nem o Solar, a projeção de sistemas é a primeira a ser dissolvida pela névoa-nada. Não existe nenhum sistema mágico, a magia rejeita os esquemas para acordar o A-ser no reino das visões da natureza do sonho

Terça, 21 de fevereiro de 1981

Floresta circular
coberta por um lençol de luz e tempo
visões do mar das formas
desenhadas no manto
de olhares extintos
flutuando na matéria escura
outra vez celestes
 no cume silencioso
acima do céu
nume inacessível
 de ininteligíveis estrelas
para onde vamos
ir e retornar
subir e afundar

perdidas as grandes sensações quando o tempo era
água imóvel
como o passado
invenção da investigação
de um sonho

que dissolve espaços e tempos
e também
este, distraído e intenso

pó de luz
que foge para o sono
sendo amor
que foge para o sonho

'Tietê, mon amour'

Domingo, 12 de outubro de 3342

Com a presença inauguramos o corpo para além do simbólico? Duvido, ele mesmo é um símbolo. A ausência de flores de assonância seguida de algumas palavras fora do lugar são capazes de destruir a conjunção do super-aí nas proximidades do além-instante? Já postei isto no desacontecer, acontece-que-existe uma luz nos atos-falhos, eles são como dentes de leão pousando na água. Sim, por isso, não desisti do romance, como postou o Sr. Søren Aabye Kierkegaard em ou-ou o sonho antes do sono. Você também considera o tempo cronológico uma auto-sabotagem? Sim, as sinalizações para o pensamento simbólico estão nas árvores que foram a evocação do beijo.

Love/Evol

Sábado, 7 de junho de 2007

tem a força da gravidade que puxa para baixo para a qual o único contraponto é o enfrentamento da morte, seu Sol ou da vida, sua matéria negra, sei que muitos anjos-lêmures-humanos pensam ser o oposto, você vai usar isto para escrever um *romance, mas os espaços em branco que são como os espaços em claro da insônia formam uma tessitura feita com fios da não-palavra estes que usamos para construir o não cantamos para as pessoas, mas para o espaço entre as pessoas Houve um vazamento de enxofre anteontem seguido de uma chuva ácida*

Nick Cave, Nick Drake.

DOIS PÁSSAROS CONVERSAM

Há palavras acesas como barcos e silêncios apagados como fósforos
Acendendo o cachimbo de crack
Ela é como um véu e um remo
E ser invisível, deitado na calçada
Com uma nuvem correndo em nosso sangue
Depois o sol vai te acordar
como um tapa
como um pedaço de um dos raios
me levanto para pedir pão e café
como se entrasse em um rio
com cinco margens
e nenhuma água

sonho com dois anjos conversando dentro de dois sabiás

Miguel: A grandeza da perda do espírito pode ser medida por aquilo com o qual ele se contenta.

Gabriel: Ele se mostra tão pobre que assim como o caminhante no deserto aspira por um simples copo de água, ele parece aspirar por desalterar-se ao sentimento indigente do divino em geral, sabe que a irresolução também é uma espécie de temor que, mantendo o espírito hesitante entre várias ações que pode praticar, faz que não execute nenhuma e se torne semelhante a um monstro que dorme contendo em seu abismo o mar sombrio, vasto, enorme.

Miguel: Prefere o nirvana do sono e se vê.

Miguel: A imagem de uma mosca presa num copo que num voo cego e raso tenta atravessar o céu de vidro.

Depois sonho que os fantasmas de Cioran e Derrida conversam no fundo do Rio Cubatão

Cioran: Escrever como se não escrevesse, escrever 'fora da literatura', do balcão de assessoramento do real, do esquadrinhado e do estabelecido, mais do que abandonar a literatura para poder escrever, mais do que abandonar a palavra, mais do que dizer adeus à linguagem, mais do que surtar profissionalmente como alguns artistas performáticos, ser cada vez menos literário e cada vez mais estranho, não escrever 'para' mas escrever contra, principalmente contra Marcelo Ariel, ele é apenas o ponto de saída.

Derrida: A linguagem se parece com estes círculos na água que fazem os peixes quando sobem para respirar.

Cioran: O que se perde quando alguém assina um texto é justamente a música da derrisão e do anonimato, imagino quanto mistério iria nos redimir através do espanto absoluto se a obra de Bach fosse anônima.

Derrida: Creio que você exagera um pouco, logo todas as obras serão anônimas, o esquecimento é o grande movimento do ser em uma escala temporal de mil anos, ninguém saberá quem foi Bach.

Cioran: Em mil anos este será um instante milagroso no fundo do inferno.

(Continua no próximo livro)

O ANTI-ULYSSES

> "Lugar preenchido de vazio"
> Botika em *Búfalo*

E apontando para os oceanos, uma gota de esperma
Nossa Mãe Santíssima, veio do mar, ele diz
Um dia *elaele* acorda
mas esse voo não podemos
com palavras
evocar, porque
os nomes estão sempre
escondendo o estelar
nada dentro de nenhum, tudo à direita do Um, mas
se ele consegue
coisa alguma nomear
podemos destruir e também retomar
Porque nenhum país
é realmente nosso lar
por isso essa rua
como a não mente
pode estar
em todo lugar

E EIS QUE SOMOS O TRANSE DA TERRA

> *"Não quero ir onde não há luz"*
> Fernando Pessoa

O demônio
foi criado
para que alguma coisa dentro do universo
da metafísica das religiões
se parecesse conosco, ele é
como uma falsa escolta de reflexos
do lado opaco do espelho ou da névoa
 das trevas, uma lição fulgor
da irradiação
de uma impossibilidade
do vazio
Ele é o sentido histórico,
a lama que crescendo como grama
repleta de agulhas
de ouro
O anjo do humano
andando pelas ruas
não verá o povo,

vejo os números e eles nada me falam do sentido histórico sendo
destronado para que os poéticos tomem o poder
e vomitem uma nação africana
na Alphaville soterrada
O riso dos rios enterrados
de São Paulo
procurando os céus
e a ética do sublime será como essa tribo
de índios de água

DO AMOR ABSOLUTO

> "Submerso, mas brilhando"
> Margaret Atwood em O assassino cego

Seja você quem for
Ame sem o temor do mal
Viva a simplicidade não-abstrata
do cristal
de Sal
que atirado na água
se dissolve
como quem morre
Que ele seja
teu coração
desejando morrer
no meio do oceano
ó felicidade
sem razão
de não existir
Alegra-te
Quando tua vida
afundar neste mar
e como o sal
se desintegrar
e livres
os ínfimos
seres moventes
deste corpo
outrora celeste
símiles

de anjos divinos
jamais viram
beijo tão profundo
quanto este
que celebra
o retorno
do invisível
unindo novamente
o antimundo ao mundo.

ÚLTIMA CARTA PARA ANA CRISTINA CESAR

Olá, Ana, vou começar falando da inconclusão como um fator, o próprio suicídio é em si um elogio da inconclusão, lembro que o autor do 'Dicionário dos suicidas' se matou, não é possível ler estes poemas sem pensarmos no corpo abstrato de Ofélia. Sentir o abstrato é para os profundamente sós, para eles é algo comum sentir tudo como o abstrato, por causa de uma espécie de miopia interior da cosmovisão, para mim é óbvio que este título é o equivalente de 'em suas mãos, é nos suicidas que a luta entre o furor e o abstrato é vencida pelo furor, existe uma insuportabilidade na sensação do abstrato. Sei que o furor nasce do desejo de dissipar-se na legitimidade do invisível e do inexistido.

Close to you
Falha no sensor de presença
Eu já sabia
A glória do adeus é banida
pelo desterro secreto
Quando ela chegar
Ela jaz agrilhoada no fundo de cada coisa

Essa delicadeza violenta de todos os arranjos que falham, me fascina
não como em Sylvia Plath
um estoicismo verbal contra os valores hedonísticos
provocando uma redução para o simbólico
da nudez de Whitman e Blake, para citarmos apenas dois vetores
de uma cena de infância atrás do vidro mental
sim, justamente quando o vidro trinca aparece a possibilidade
de infiltração da luz
a presença é uma performance voraz, babylonest
gelo pegando fogo

depois se transformando
no vento pensante
preso dentro do corpo
dentro do corpo dela
O meu silêncio escrito
será como uma ausência
de silêncio
porque o vazio nasce
do excesso de horror
que por ser suportável
é incompatível com a delicadeza
dessa luz saindo
dos seus olhos
para se perder
no que é
impossível
ser dito

RIMBAUD ENCONTRA LOU REED
excerto de Une Saison en Enfer
tradução livre do autor

"A vida foi uma festa onde todos os corações se abriam até explodir e todos os vinhos cintilavam até que numa noite sentei a beleza no meu colo vi que a beleza era amarga e mandei a beleza tomar no cu depois disso comprei um fuzil e me armei contra a justiça consegui destruir em mim qualquer vocação para a esperança contra toda e qualquer alegria lancei um soco no escuro o bote cego da besta feroz esperança e alegria estranguladas e chamei os carrascos para lamber e morder com agonia a coronha dos fuzis mergulhei na lama e depois sequei ao sol o sol do crime fujam miséria e ódio feiticeiras que guardam meu tesouro eu enganei a loucura e a primavera invadindo todas as estações me trouxe a pavorosa risada dos idiotas 'você permanecerá hiena' mesmo que não aja como uma rugiu o demônio que me coroava com adoráveis cigarros de maconha e ópio morrerás feliz ao lado da tua fome , com todo o teu egoísmo intacto e os teus melhores erros depois de ouvir a voz desse demônio resolvi dizer tudo sem a mania de explicação vomitar todas as palavras sei que os demônios que estão me ouvindo estão cansados da pedagogia da miséria, como todos descendo de bárbaros e escravos"

Ok a verdade não pode ser dita nem compreendida
A negação de si mesmo é o princípio
perder a própria vida para si mesmo , mas não arruiná-la
com esquemas
a poesia é a hesitação de Héracles
o riso de JC
não, esse
o outro, Coltrane crucificado no saxofone
ressuscitado e invisível no ar

há qualquer coisa de infinito no fundo de seus olhos
porque agora eles não existem
como se a morte segurasse
a Via Láctea
e não uma foice
e seu manto fosse 114

a matéria escura,
baby,
eu disse,
a matéria
escura,
baby

JÚPITER MAÇÃ ENCONTRA WILLIAM BLAKE

"Rintrah rugiu
e suas chamas
lançou
na opressão
do ar
A fome
das nuvens
desceu
sobre os abismos
Antes inofensivo
e agora
perigoso
o Justo
caminha
ao longo
do Vale da Morte
onde são
cultivadas
rosas
viver é roubar

para que cresçam
espinhos
e sobre
a favela estéril ecoa
o zumbido
das abelhas
guardando o mel
E assim
Começam
os perigos
da viagem
E há um rio
Sua nascente
Está na beira do abismo
onde
numa cova brilha
a brancura
de ossos

>   *temperados*
>   *com o vermelho*
>   *do barro*
>   *E eis que o maléfico*
>
>   *Deixa seu*
>   *confortável trono*
>   *e por atalhos*
>   *conduz*
>   *o Justo*
>   *para regiões áridas"*

W. Blake, traduzido pelo autor

A loucura é
a única possibilidade real
ele não
e o significado disto era lutar
contra o vazio
claro como o dia
oscilando
na Fragilidade que é força
para enfrentar o absurdo
com a ironia
do raio cinematográfico
estas ondas eletromagnéticas
que são como os sonhos
que são como lembrar
para a raiva elegante
ser transformada

em uma orquídea sonora
dentro do
nome triplo
sondando o abismo
na faixa oculta
transferindo o raio
para o disco
dos Beatles
para o caminho místico
onde cantamos
o triunfante fracasso
em ludibriar a morte
através do sexo selvagem
com todas as formas possíveis da canção
seguido de uma pausa para a energia da autenticidade

DOS CORPOS NO CORPO, EM VOSSA HORA
vagamente ao modo de Miss E. D. e para a mulher jardim que me pediu que escrevesse sobre o tema

> "Entrando
> en silencio
> aceitados
> lentamente
> unos em outro"
> Severo Sarduy

O que existe
na Terra
canta
o Salmo do corpo
o raio de Sol
cantando sem palavras
é como um braço
estendido, sempre
nos alcançando
fogo é oxigênio
se mudando
para rios de sangue
que sobem

até galáxias
na abóbada
do crânio
por isso
há metáforas
nas nuvens

e segue determinado
o mar
no orvalho
a ancestralidade
da lágrima
se expandindo
por obra
da gravidade
continua
se movendo
música humana
onde um
corpo infinito
se disfarça
e escondido
na menor parte
arde
no êxtase
dos amantes

reunindo
para uma conversa
a gravidade e a graça
antigas amigas
como a luz e a treva
tal conversa
prossegue até bem tarde
e mil vezes
se repete sem alarde
até que de repente
o regente
silêncio

do não-humano
diga que é
chegada a hora
dos corpos
no corpo
irem embora

DO AMOR ONTOLÓGICO
através do amor, os mortos ressuscitam

(Opus)

Preciso alcançar o que é maior do que o nome no teu corpo, esse nome provisoriamente gravado em tua imagem-sem-a-vertigem-da-presença, ainda não é você, apesar de evocar o mistério que está muito acima do silêncio, mistério que tenta tocar de leve na superfície desta 'vidraça de surpresas', como diz o poema com o qual estou conversando agora, somente na destruição de um refúgio, no destroçamento de um farol, reside aquilo que é maior do que o nome, a nudez da solidão subindo os degraus da morte, a esperança em sua obsessiva luta contra a saudade, na implosão das paredes do tédio organizado, nestes lugares interiores que migram devagar para o exterior, inomináveis como a alegria da chegada que faz do amor e da liberdade, rios paralelos é que ouço o teu verdadeiro nome, se for capaz de esquecer o meu

O fato é que o Amor move o Sol etc. O Sol do amor não dorme e talvez isso explique porque o amor afasta o sono em quem está longe daquilo que ama, exposto sozinho ao poder de seus raios de solidão, sem que a sombra acolhedora de outro corpo possa protegê-lo de tanta realidade

(Largo-Andante)

Amo a tua imagem congelada, luz congelada que é a prova de que até o parado se move, se no sonho tua imagem é mais real do que a realidade, é este rei que divide em dois o tempo de uma vida, que anuncia o câmbio dela para este outro sonho onde agora estou acordado

(Scherzo)

A lembrança do seu rosto me visita através da luz de um céu invertido, coração aberto tocado pelo Sol, morada final de todos os que amam além da medida, a morte deste Sol é inconcebível porque jamais a veremos, tão curta é a duração do nosso sonho que finda, evocando a finitude de tudo, até da Estrela, mas há outra maior, outro Sol que nasce na memória do Infinito e penetra nesse esquecido paraíso que é o mundo sonhando com o mundo, impelido pela amorosa silenciosa força que deseja unir dois corpos a uma mesma Alma, sigo carregando dentro do peito esta certeza, acalmando e alegrando meu espírito, que pela tarde vaga, tocando já esta Alma, mesmo que ninguém a veja.

(Opus)

O mel, o desabrochar de uma rosa, a chuva, quase tudo na natureza obedece uma arquitetura da espera, até o relâmpago, êxtase das nuvens e ventos, espera o momento do encontro no tempo, para ser uma clareira entre infinitos, assim o amor, sobrenatureza que anima a natureza dos amantes, que também são como vento e luz habitando uma casa de ar e água, é uma tessitura de esperas paradoxais, porque aquilo que esperamos e está vindo sempre esteve em nós. Assim aguardo que seja cancelada a noite do tempo que pode ser medido, do outro lado do Ser, vossa ausência para que a semiapagada vertigem da próxima manhã se converta em dupla presença.

(Intermezzo)

Talvez o amor não se relacione com tempo algum em lugar nenhum e seja mesmo uma onírica, querubínica transfiguração do espaço, amantes entram no espaço através do sonho e neste espaço do sonho, onde os tempos abstrato e cronológico estão em oposição. A violência extrema, dicotômica do tempo cronológico, onde somos ofuscados por uma irreal fragmentação do ser através das restrições da visão na névoa da memória, servindo apenas para ofuscar as possibilidades de fusão com a Alma do

Mundo que sonha o Mundo, que o amor anuncia como um ultradevir pois Ele-Ela-Elohins, o Amor é um agente do tempo-eternidade, somente nesta temporalidade sem tempo, próxima do onirismo do nascimento pode o amor se expandir até seus ilimitados espaços de corpo algum, objeto nenhum, forma sem forma.

JAHA ÑADE ÑAÑOMBOVY'A

Nota do autor

Jaha ñade ñañombovy'a, em tupi-guarani, significa
'Vamos nos maravilhar'

"Os instintos são de cristal. Os nomes estão unidos."
I. C. Cooper

"O único movimento poético que me parece moderno é o Experimentalismo. E estou a referir-me tanto ao nosso país como à poesia em geral. Os meus interesses estão de tal modo virados para ela que me é quase impossível dar atenção à poesia convencional, por mais notável que seja, dentro dos seus recursos e propósitos. Quanto às expressões «formal», «conceptual», «estético» e «humano», nas acepções utilizadas na sua pergunta, nada tenho a dizer. Representam conceitos não integráveis, desse modo, no meu processo de pensamento. Em poesia, formal, conceptual, estético e humano significam, conjuntamente, «linguagem». E poesia, como diria certo crítico norte-americano, é linguagem. Isolar o implícito, explicitando-o, servirá apenas para estabelecer um sistema insolúvel de situações."
Herberto Helder

"A luz lembra uma aranha
Caminha sobre a água,
Caminha pelas margens da neve.
Penetra sob tuas pálpebras
E espalha ali suas teias –
Duas teias.

As teias de teus olhos
Estão atadas
À carne e aos ossos teus"
Wallace Stevens (trad. Paulo Henriques Britto)

A rainha do fogo invisível

MAYTREYA

acordei mais cedo por causa do som dos pássaros dentro do meu sonho⎯ era ela⎯a luz entrando devagar dentro dos seus olhos cantou um dos pássaros que se aproximava ferozmente através do Sol, porque tudo é a emanação ainda estava escuro porque meus olhos estavam fechados e por isso estavam abertos no sonho e havia luz mas não era a luz do sol era outra com um véu vermelho que vemos quando os olhos estão abertamente fechados um dos pássaros como uma nuvem disse que o único modo de ver o mundo sem sair dele é fechar os olhos

STALKER

ao abrir os olhos dos dois lados caminhando ao mesmo tempo, eis algo que somente os sonhadores insones são capazes de fazer, calmamente por exemplo se eu estiver morto enquanto você lê com rigor estarei com os dois olhos abertos e poderei ver você através dos seus olhos fechados e até aparecer em seu sonho olhando como se atravessasse para desaparecer através da presença invisível desenhada no espaço entre as coisas, você aparece agora enquanto estou lendo,

ARTEMÍSIA

Você aparece para mim, no momento imaginado não como um fantasma, uma cidade, mas como uma mulher nua ou seja um riacho olhando em volta etéreo ou um raio de Sol e me levanto da cama junto com meu corpo que me recebe, ele é uma paisagem que se materializou em volta de um terreno baldio investigando o em torno me levanto num rio soterrado em um animal __ meu corpo se funde com o voo imóvel do pássaro da eternidade que todos julgavam morto

DERRIDA

Havia deixado a casa escura, você estava com uma nuvem no rosto, isso também significava um luto pela humanidade como se estivesse a anos luz, a presença que evoca a alteridade é sobrenatural como a do pó flutuando na luz acima da minha cabeça

Uma auréola de luz, criada em parte por nossos olhos, a luz e a água são os indícios do falso despertar, o sono liberou para sempre a nuvem de gás de sonho, que se misturou, com o que chamamos de realidade

RANCIÈRE

Meus olhos são um centro sem centro se aproxima com uma pergunta as luzes partilham conosco a materialidade de uma miragem complexa o dinheiro aqui e agora, o Polo Norte e o Sul e a Antártida sem o dinheiro preciso me concentrar neste momento e não no próximo nada de arranjo, nada de esquema, é impossível se lembrar do agora, ele é como uma estrela negra seu rosto se vira para a esquerda e para a direita, procurando algo suspeito caminhar resulta na partilha e criação de uma dimensão paralela

RADIOHEAD

Quando fixamos os olhos no Sol, a realidade se converte por instantes em uma mancha, somos tomados pelo êxtase violento da cegueira provisória, os objetos nos quais fixamos os olhos logo depois são possuídos por esta mancha, que é um fantasma do Sol, um tremor em seu temor, estávamos sendo vigiados de dentro para fora, por uma espécie de polícia absoluta, os movimentos do ser para além da esfera estavam sendo gravados pelo satélite do anjo policial que é do tamanho de uma célula, amanhã

NADABRAHMA

O corpo é uma zona intermediária, entre o sonho visível e o sonho transparente, começa com o corpo de sonho que se transfigura lentamente em corpo desperto e depois em corpo transparente, precisamos ficar invisíveis, agora, isso soa como uma ordem uma coisa é o pensamento, outra é a consciência do pensamento, o corpo resiste a ser pensado porque não se pode fingir o êxtase

CHET BAKER

Todos agem como agentes duplos para criar o esquecimento, principalmente do pensamento, ela diz enquanto cria um mundo sem mundo como uma estratégia para entrar dentro do orvalho *aquilo que chamamos sem saber realmente o que é como hiperausência ou morrer* o que pode ser confundido com essa queda que é como a sensação do sonho

HARAR

você não consegue ligar estes pontos entre o presente e os diversos tempos que existem do lado de dentro do corpo porque na verdade você não está lendo mas costurando conexões entre a lógica do sonho e a realidade, esta esfinge que de dentro das suas células prepara a pergunta da sua vida: você está preparado-preparada para morrer, ela pergunta enquanto você dois dias antes de nascer queima no sol do oxigênio depois você será o deserto

ROLNIK

O amor não vive da ciência mas dorme na primeira aproximação entre estrelas do mar e as outras__ solitário cantando entre os pássaros, ele no fundo dos rios soterrados possui as chaves para outro tempo e outra cidade que seriam como a transcendência dos povos em geral, soterrados em uma pilha de ossos, as estrelas

HEIDEGGER

Associaremos a *selvageria* com a realidade em estado bruto ou seja com um etos ficcional onde a tropa aponta todas as armas na sua direção e você finalmente nasce você é uma multidão de 10 milhões de velhos, crianças e mulheres com a cabeça raspada

SLOTERDIJK

Entusiasmo é a condição inicial da riqueza ontológica, é o dentro *dentro do dentro* ou o próprio ente timorístico a primeira coisa que notei foi o olhar de alheamento dos brasileiros, caminhando como se não existissem no presente.

BACHELARD

Havia o desejo de unir a eudemonia e o hedonismo em um processo semelhante ao que une a água e o corpo humano, havia a vontade de unir todos os eus com a tessitura da única alma que existe espalhada por toda parte, indomável, inominável e sem forma, havia a árvore dentro do peixe dentro do pássaro dentro do feto, havia o nascimento do fogo dentro da água dentro da nuvem dentro do sangue, havia a quarta pessoa do singular dentro da terceira pessoa do singular, havia algo que o evento não podia fixar como parte do real que agora percebemos ser um sonho onde éramos a paisagem e não aquilo que parecia conter uma separação entre você e ela

THOM ANDERSEN

Não apenas no enquadramento afetivo das imagens, não apenas na tentativa de unir exterior e interior costurados pelas imagens dentro desta pequena pausa criada por seu olhar, não apenas na tua vida dissipando todos os símbolos, não apenas nos mortos que estão passando por ti fora do tempo, não apenas no deserto de Dogon, não apenas nos campos da Palestina, não apenas na Vila Elisabete em Cubatão, não apenas na Cracolândia, não apenas nas geleiras da Amazônia

O DJINN

O que se abre para que a eternidade se desfaça em uma forma de real anterior, invisível para teus olhos, em ti enterrado como este ouro, como um copo d'água no fundo do oceano assim será teu coração após a última batida, a seu modo tua vida já é uma resposta, os pássaros da eternidade estão pousados fora do teu nome, e disse a onda para a espuma, Vai e canta o nome deste-desta que está lendo para a areia e a espuma respondeu: quando as primeiras notas do canto tocarem minha língua, eu serei a areia e o oceano ao ouvir o que disse a areia ergueu suas asas para que os pássaros cantem dentro de teu sonho

CAMPOS DE CARVALHO

O silêncio que não é invisível nos sonhos, não é como essa capa transparente em volta do seu nome, ninguém percebe olhos tentando sinalizar para os ossos a senha através do sonho e o sorvete de carne se perdendo no silêncio de tudo o que não existe e precisamente por isso é mais real do que você e eu.

HAKIM BEY EM ELDORADO

> "O Estado mundial é o corpo"
> Novalis

Diadema é um dos nomes do monádico
que como o Pássaro da Eternidade
é buscado por aqueles que procuram
aquilo que jamais pode ser encontrado
e aparece em nossos sonhos
como uma paisagem invisível
apenas porque ainda não olhamos para ela

O paraíso está nos olhos que podem ouvir
aquilo que veem
O paraíso está nos olhos
de quem os fecha para poder ver
Pergunte ao si mesmo que se opõe ao eu
por que o amadoamada sem nome
criou-se em árvores antes de criar-se em cosmo

Chega-se até a favela de Eldorado pela elevação movente
através da fusão do um se vai ao onze
fusão opaciada pela dimensão dos negócios bancários
onde a alma é convencida da inexistência do humano
depois ela será reconduzida até o começo do despertar, quando o dinheiro e a água
forem bens públicos
reivindicaremos isto
através da universidade desconhecida dos sonhos lúcidos
onde o corpo se vê **retrovado**
porque não existe ali
a necessidade de espelhos

porque podemos ver
o rosto do outraoutro
antes de nascermos
A gênese do lugar
uma topologia fantasma
chamada Canudos
que se move
por dentro
do ônibus
lotado
que também é um massacre
embora incapaz de roubar
nossas potências nômades
nossa poderosa fragilidade
sempre lutando
contra os buracos brancos,
vencendo apenas
quando somos observadores
da fenda etimológica
e anulamos a magia cinza econômico-jurídica dos brancos

porque a palavra PODER jamais se referiu a um poder real
falava das emanações do simulacro de um pesadelo
cercado de povoamentos de sonhos

Sabemos ao sentir
o Aberto
que a língua da brisa
na copa das árvores
é mais real
do que angústia
anunciando a magia da segunda e terceira mentes

chamando a terceira pessoa do singular
até que venha o silêncio que é como uma força
Cosmogramática
através dela O PODER
com sua representatividade nula do irreal
será estilhaçado
por um tipo de polinização
destes silêncios autopoéticos
que deslocam a percepção do sonho
para todos os outros estados
do corpo
para todos os contornos e esboços
da presença do mundo
longe do encanto etimológico
que é como uma porta feita
com chaves coladas umas nas outras
com gelo e névoa
para ser dissipada pelo movimento
livre, despensado e solar do corpo
Todos os movimentos são celestes
do vento na teia de aranha
aos alvéolos
dos anéis de Saturno
até a embalagem plástica
do supermercado
voando como o anjo da história
na não intencionalidade
do ar

Podemos sentir
que a vontade da matéria
está atrás do pensamento de todas as coisas

que estão umas dentro das outras
como a água na água-viva
e o som nas explosões solares
ecoando nas batidas do coração do Colibri
e nas do nosso
Sabemos que asas foram enterradas
no corpo das mulheres
há algo de sublime nos fios
entrelaçados que formam a matéria
na vontade dos fios
na vontade das asas
 na autonomia
bioestelar
que empurra o sangue
para o Sol no alto da cabeça
dos animais
que empurra a seiva
para o alto da cabeça vegetal
o cérebro polifônico da copa das árvores
coreocosmogramatológico
como o cérebro das nuvens
e o dos rios
mas não apenas o cérebro: O CORPO
que os antigos chamavam de NÃO MENTE
O CORPO NÃO MENTE
A natureza, sem esquemas
As supernovas, sem esquemas
Ou seja EROS
Polenomádico
e sua maravilhosa buceta
que um dia foi
A TERRA

SOBRE ALGUNS FRAGMENTOS DE NOVALIS
(as traduções dos fragmentos são de Rubens Rodrigues Torres Filho,
a quem este poema é dedicado)

Amor pode por vontade absoluta passar a religião. Do ser supremo só nos tornamos dignos pela morte. Morte de reconciliação
Este absoluto da vontade é fora do eu, logo o ser nada tem e pode ser tudo,
A dignidade de morrer desejando não ter forma
É uma reconciliação com o mundo ao desejar nele
Se dissolver

A morte é uma vitória sobre si, que como toda auto-superação, proporciona uma
existência nova, mais leve e fácil

Por esta minha cura, disse Sócrates
E uma existência nova, soltou-se de si
Divino afastamento de qualquer ideia de divindade
que deseja
desde o princípio
a anterioridade
Estamos próximos do despertar, quando sonhamos que sonhamos
Stein e sua rosa dentro de uma rosa dentro de uma rosa
se abrindo infindavelmente
pétalas sonhando com a rosa
raios com a roda
linhas retas sonhando com o círculo
tu, seja você quem for
és um poeta, uma poeta
ao tentar lembrar
como é esta rosa
do mundo

que há dentro do sonhar
Darwin faz a observação de que somos menos ofuscados pela luz, ao acordar,
quando tivermos sonhado com objetos visíveis. Afortunados, portanto, aqueles que
já aqui sonharam com ver, poderão mais cedo suportar a glória daquele mundo!
e mais tarde, sem nenhuma razão
perceberão também a glória deste,

O MUNDO RODA O LOUCO

O movimento incessante das esferas não acontece como um evento e deve ser discernido como anúncio de um nascimento que só pode acontecer na impossibilidade, saímos de uma esfera, de uma roda menor para outra maior e nosso nomadismo é no sempre e na direção de esferas cada vez mais incomensuráveis e extraordinárias, de uma esfera de visitação onde se deu a primeira escultura do ser mas apenas como forma (ÚTERO) até outra esfera onde o ser deve esculpir a si mesmo mas não apenas como forma mas como ABERTURA e OBRA DE ARTE

Temos então o ARTESANATO FÍSICO NATURANTE da primeira esfera e A ARTE ESCULTÓRIA a partir das potências da interioridadeque são os_saberes intuitivos que ajudam a realizar a conversão das experiências, sensações em SENSIBILIDADE ESCULTÓRIA DO SER dentro da SEGUNDA ESFERA (MUNDO)

Os movimentos das duas esferas escondem rastros harmônicos e este processo de discernimento destas harmonias que amam se esconder podemos chamar de CONVERSA COM A ESFINGE

Os movimentos de nomadismo exterior-interior na primeira esfera podem ser chamados de começo do nascer e os movimentos na segunda esfera ou segundo útero terrano podem ser chamados de DECISÃO DE NASCER ATRAVESSANDO A IMPOSSIBILIDADE__

A singularidade é um movimento de discernimento de quais movimentos nascem a partir das forças de dentro e quais nascem a partir de uma cartografia destinatória ou seja de devires noticiados pelas escrituras hieroglíficas dos encontros com os corpos aparentemente exteriores ou o que os saberes chamam de SONHO DO MUNDO

TODOS OS NOSSOS MOVIMENTOS DE NOMADISMO NA SEGUNDA ESFERA SÃO MOVIMENTOS EM CIRCULARIDADES DIALÓGICAS

Os movimentos de nomadismo dialógico que chamamos de conversas, diálogos são para o ser o mesmo que O SONHO ou O SURTO

Não havendo diferenciação potencial entre CONVERSA, SONHO, CAMINHADA E SURTO

São movimentos DA RODA DO NASCER

E a percepção dos lugares de sonho dentro destes movimentos são processos de nascimento

Escultório do ser

Fora do nome e na direção do NUME, do numinoso

Isso exige uma negação da essência, da nuclearização do ser em vestes do silêncio

Ou seja, a nuclearização envoltória das palavras precisa ser atravessada
Para que possamos discernir através dela
Os rastros harmônicos do DESPENSAMENTO
que estão atrás do pensamento
OS RASTROS HARMÔNICOS
são aquilo que o véu esconde
mas estão escritos no véu pela força
dos riscos
que trincam
o que pode ser nomeado
e capturado

através de esquemas
lógicos
ou seja É NO ILÓGICO QUE SE MOVE O SER
as possibilidades de continuidade do nascimento
que é algo que jamais se completa
jamais se completará
porque não é pessoal
não é individual
o nascimento de uma coisa não pode ser separado do nascimento do mundo

As circularidades em espiral são verticais_ascencionais e levam para dentro do ser
As circularidades em expansão horizontal levam para O FORA
NAS FLORESTAS DA ALMA
que são a placenta
rizomática
das potências
os movimentos de nomadismo
que são camadas do nascer
devem se realizar como espirais horizontais
a primeira placenta sinérgica
é a conversa silenciosa com os amigos e amigas
que cria os duplos incendiados
das transparências
o incêndio das projeções
é um dos lugares
onde começa a terceira camada do nascer
que vamos evocar aqui
como **SAIR DA RODA MENOR**
DO CÍRCULO MENOR
para se perder para sempre no **CÍRCULO MAIOR**

Entre o círculo maior e o menor
Estão **O DESERTO**
e a esfinge que nos espera no lugar de nosso nome vê
a pergunta
que nos fará nascer

A MORTE DE DAVID BOWIE

Morrer não deveria ser tão agônico quanto nascer
talvez seja como abortar a existência entre dois pontos de inexistência
a *Estrela Negra* dentro do Buraco Negro
brilhando com sua luz cinza-prateada
com um ponto azul
ou um peixe abissal disfarçado de canção
o momento em que perdemos nossa consciência
se confunde com a liberdade
minha palavra favorita era 'agir'
antes que a música silenciosa fosse interrompida
pensei em escorregar por dentro
é possível criar algo em um local, em um ponto
que dissolva um poder infinito
como o seu
Ele disse para ela
enquanto ela tentava explicar a teoria dos fractais
'Eu sou uma realidade desconhecida'
ele ouviu sua própria voz cantar
como a ideia de uma luz caindo
por dentro dos ossos
o espaço que você ocupava era como uma espécie de céu
transparente entre uma pessoa e outra
disse o som da sua voz separado do seu rosto
se expandindo
entre espessuras de luz bicadas por pássaros
vou por teu corpo como por um rio
por tua forma como por um bosque
começamos nesse repentino abismo
não há nada diante de mim
apenas um instante que não se move

O ENFORCADO VÊ O SOL
mestiçagem de visões e potências

"Há muito passado no estar aqui com o tempo, Fim e reconhecimento, e não sofrendo nada mais do que o tempo concede,

Fim de novo e reconhecimento de novo E tudo é crime, ou crime sempre, crime ou crime, Criminosissimamente crime,

Quando arriscamos a intensidade, comemorando. Aumento e festa, ou cilício, e tempo de cair e tempo de seguir, Tempo de mal cair e tempo de mal seguir, Oh amamos tanto, amamos tanto estar aqui com o tempo E sabendo que há nisso pouco passado. Porque maiores que os desígnios da vida

São os desígnios da medida e, divididos Em dois por eles, com eles indo, se por eles Ganhamos o tempo, pedimos a forma mais fácil

De indagar que vamos morrer e, um dia, se O tempo for deles e, a memória, de outros, Havemos de ser úteis como mortos há muito, Sem que a causa, o delírio, a designação, O julgamento nossa medida abandonem, Dividida em duas por elas, e ganhando constância.

Depois, depois faremos ou fará o tempo, por sua vez, Aquele blasfemíssimo comentário, E então consta que amámos."

João Vário

As disposições do ser exigem que a visão que temos acordados seja como a visão do sonho, nosso mundo real em relação ao real mundo do sonho de onde se originam quase todas as coisas que vemos neste, está como que invertido em suas potências, as potências e coisas-seres do mundo dos sonhos e nisto não elaboro uma dicotomia mas uma *complementariedade*, são imanentes, como dito em outras aulas, existe um lugar que poderemos chamar de entressonho, onde se desenvolve uma das trajetórias ou percursos dos corpos, de corpos em processo de nascimento até corpos celestes, sendo a Terra um dos elementos de ligação entre sonho e entressonho, de ligação dez mil seres com os céus dos céus, havendo em nosso nomadismo UM VER ligado à copa das árvores, onde se encontram OS PÉS DE NOSSOS OLHOS, nossa tomada de consciência ou caminho, se inicia na copa das árvores de nosso ser, podemos dizer poeticamente, não como uma habitação, mas como uma jornada, uma caminhada por dentro de lugares que aparentemente nos sonham pelo lado de fora, ir até um lugar significa abandonar outro ou nascer, um dos sentidos do enforcado é o que aponta para a necessidade de abandonarmos nossos hábitos mentais, a estratificação de nossas visões para podermos adentrar no mundo como um campo de desconheceres que fundam possibilidades, isto não se dá se estamos presos a uma lógica, quando a chegada ou percepção no entressonho representa o começo do mundo, é no ilógico que começamos a ver o mundo como um poema invertido e no impossível que ele escreve seus versos e o que seria isto, ver é apenas metade do viver, numa brincadeira etimológica podemos cantar estes dois movimentos do ser o nomadismo do entressonho exterior VIR e o nomadismo do sonho interior VER, VER COMO SONHO E VER COMO POEMA EXIGIRIAM o discernimento de três coisas, da possibilidade de uma intensificação da vida cotidiana ou como diriam os surrealistas, a penetração do maravilhoso na vida, ora isto já ocorreu no primeiro antenascimento e irá acontecer NO SEMPRE até que alcancemos O NASCER ou A RESSURREIÇÃO em uma tarde tranquila tomando um sorvete flamejante de cereja, o entressonho é um ponto de intersecção de forças que exige uma inversão da inversão, uma dobra da dobra, a junção das misteriosas linhas de realidades e o discernimento das linhas de realidades paralelas enfraquecidas ou costuradas nas zonas de lógica que ofuscam as possibilidade do impossível, quando digo impossível, não me refiro de modo algum a algo utópico, ou a um lugar sem lugar, dentro da inversão, o não-lugar ou o lugar sem lugar são as cidades havendo a necessidade de discernir nelas as zonas de sonho e de intersonho, de intersonho onde a natureza faz a mediação, por exemplo, parques são mediações ônticas entre as florestas (lugar) e as cidades (não-lugar) em uma visão mais nítida, as cidades são inversões, saindo do campo dos poderes, o enforcado se associa neste campo com a imperatriz e o imperador, temos a noção de que, nesta dança fixa da lógica, da visão lógica, do esquadrinhamento do viver e da construção de cercados para o maravilhoso, estamos como seres de cabeça para baixo e esta é a parte óbvia que esconde algo sublime, que nossa cabeça está mais próxima da Terra do que do Céu, que a ponta de nossos pés toca na verdade, no céu e se enraíza na copa das árvores, podemos através de um discernir este fato óbvio e quase invisível, aguardar a temporada dos frutos de nosso nomadismo, anunciada por Rimbaud, Thoreau, Bruce Chatwin, Alexandra David Nell e outros nômades, quando um efeito considerado nefasto, o desenraizamento poderá ser intuitivamente metamorfoseado em entrelaçamento, havendo aí, como possibilidades de ser, não apenas pessoas-raízes mas também pessoas-pólen e pessoas-nuvem.

Por que não afirmar que a construção de duplos tem um objetivo que é a expansão múltipla de experiências, que talvez o assaltante e o assaltado existam em um plano mais sutil e oceânico, solar eu diria, porque há um oceano dentro do Sol que podemos ouvir em nosso sangue, por que não dizer que neste plano o assaltado e o assaltante entrem um dentro do outro, saberes antigos falam de um estado do ser denominado A ESCADA onde as coisas em suas experiências entrariam umas dentro as outras e ENTRAR é o modo dialógico DE EXISTIR do ser em suas expansões, quando abandonamos as projeções e seus mundos de símiles e simulações, adentramos nas expansões e nos inevitáveis atravessamentos de fronteiras, principalmente de fronteiras que separam coisas e estados, um mundo que exige uma entrância e uma reentrância contínuos como um poema que exige leituras seguidas espaçadas por intervalos de tempo que revelam as diferenças entre o ser e seus estados ou seja que são um atravessamento também dos duplos usados para se mover no reino dos mortos, que é como chamo a civilização branca ocidental ou no reino do culto dos mortos que é como chamo as tradições secularizadas repetidoras de um patriarcado limitado e opaciante, onde e como os duplos se dissolvem, é a pergunta que fazem muitos dos saberes antigos desprovidos de visões dicotômicas que veem os duplos como UMA INFÂNCIA DO SER que sente a vontade de atravessá-los, até para criar O DESEJO DE FUSÃO que equivale a um OUVIR ABSOLUTAMENTE O MUNDO como o faz O SOL que de distâncias inimagináveis, OUVE ATÉ QUE POSSA SONHAR COM A TERRA E OS PLANETAS, é também óbvio que respiramos UM SONHO DO SOL: A LUZ e que esta é matéria a que se referiam Shakespeare e Dante, um ao afirmar que a vida é feita da mesma matéria dos sonhos e outro ao em seu verso mais famoso revelar que O AMOR MOVE O SOL, pois bem este amor que é uma vontade mais do que um interesse de atravessamento, se metamorfoseia em uma potência capaz de produzir o desejo de equivalências e equanimidades, de ressonâncias e diálogos de tudo com tudo, porque no fundo o SOL é ele mesmo uma ressonância e equivalência dialógica de uma potência com outras potências maiores, como acontece nestes caso de amor contínuo entre a Lua e o Sol, o que estamos sugerindo aqui é que do cósmico, do celestial, do absolutamente não humano nasce a possível transcendência do terrano em oceânico-celeste e lunar-solar, como já foi anteriormente prescrito por saberes originários dos cultos da Deusa ou da Musa que certamente irão ressurgir como potências no momento em que todos puderem discernir em si a fala das potências do não-humano, e o que deseja a água que somos dentro do pequeno Sol onde estamos, senão subir aos céus.

AILTON KRENAK CONVERSA COM CASÉ TUPINAMBÁ

Na aldeia acorda o pássaro das Sete Quedas
cantando
porque é o corpo que está
na *anima mundi*
ou seja nas asas

Cancela a usina
com o cantar
porque a voz está
no rio abraçando o mar

Há um *Devir-Tekoha*
atravessando todo o espaço
chamado erroneamente de Brazil
e dos espíritos dos indígenas assassinados
saem as afluentes do real

NO CONGRESSO OCEÂNICO DAS MULHERES DO POVO

O Silêncio ensurdecedor de cinquenta e quatro mil mortes negras
me trouxe de volta
Patricia Galvão: Mas o ar é irrespirável, cheiro de massacres e fascismos, por isso tentei meter aquela bala na cabeça.
As ruas e canais
evocam a morte de uma democracia-karaokê
Os pássaros voam de propósito
contra os vidros dos arranha-céus
maquetes em tamanho real
da ausência de espírito
vidros da morte
trincados por gritos
Pagu: Mas ser mulher é algo sempre inaugural, uma insurreição mais do que uma reação, nós não criamos o macho, ele se desfez em totalitarismos vários, crianças da noite tentarão em vão cancelar o dia.
A Deusa Ártemis quando perguntada sobre qual oferenda a agradaria mais respondeu 'Correr livre pelas matas vestida apenas com meus arcos e minhas flechas'

Patrícia Galvão: Quando não houver mais pretos e pretas dormindo nas calçadas, haverá um Brasil.

Pagu: Meu fantasma vaga sem paz, pelas ruas das favelas de Santos, Cubatão e São Vicente como uma baleia feita de nuvens transparentes, como uma onça feita de brisa do mar, uma secundarista chorando deitada na calçada, escreve meu nome com orvalho e sangue.

Solange Sohl: Ontem atravessamos vários corpos no meio da manifestação

DE GURDJIEF E DO QUE ELE PENSOU

("Ame o que você "não ama".)
Preciso esticar bem as linhas se quiser um bom tapete
Lembre-se de você mesmo, sempre e em toda parte.
e tente se esquecer de seu rosto no espelho, de onde veio esse pensamento contrário?
Lembre-se de que você veio aqui, porque compreendeu a necessidade de lutar contra si mesmo. Agradeça, portanto, a quem lhe proporcione a ocasião para isso.

O melhor meio de ser feliz nessa vida é poder considerar sempre exteriormente – nunca interiormente.
Não ame a arte com seus sentimentos.
Não julgue um homem pelo que contam dele.
Leve em conta o que as pessoas pensam de você – e não o que dizem.
Junte a compreensão do Oriente e o saber do ocidente – e, em seguida, busque.
Só o sofrimento consciente tem sentido.
Vale mais ser temporariamente um egoísta do que nunca ser justo.
Se quiser aprender a amar, comece pelos animais; eles são mais sensíveis.
Ensinando aos outros, você mesmo aprenderá.
Lembre-se de que aqui o trabalho não é um fim em si mesmo. É apenas um meio.
Só pode ser justo quem sabe se pôr no lugar dos outros.
Se você não for dotado de espírito crítico, sua presença aqui é inútil.
Aquele que tiver se libertado da "doença do amanhã" terá uma chance de obter o que veio procurar aqui.
Feliz aquele que tem uma alma. Feliz aquele que não a tem. Infelicidade e sofrimento para aquele que só tem a semente dela.
O repouso não depende da quantidade, mas da qualidade do sono.
Durma pouco, sem se queixar.

A energia gasta para um trabalho interior ativo se transforma imediatamente em nova reserva. A que é gasta para um trabalho passivo se perde para sempre.
Um dos melhores meios de despertar o desejo de trabalhar sobre si mesmo é tomar consciência de que a gente pode morrer de uma hora para outra. E isso, é preciso aprender a não esquecê-lo.

O amor consciente desperta o mesmo em resposta.
O amor emocional provoca o contrário.
O amor físico depende do tipo e da polaridade.

A fé consciente é liberdade.
A fé emocional é escravidão.
A fé mecânica é estupidez.

A esperança inquebrantável é força.
A esperança mesclada de dúvida é covardia.
A esperança mesclada de temor é fraqueza.

Ao homem é dado um número limitado de experiências
– se ele não as desperdiçar, prolongará sua vida.

Aqui não há russos, nem ingleses; nem judeus, nem cristãos.
Há somente homens que perseguem a mesma meta:
se tornarem capazes de ser.

POTESTADE E PÁSSARO
Aforismos & adágios

O Sol e a Flor derivam de explosões, o mesmo se dá com os Povos
Se as germinações de uma autonomia psíquica se multiplicam em novas formas do viver, em outros modos do viver.
O corpo e suas topologias se movem por expansão, os povos são uma expansão de um corpo *autopoético*
Entre duas formas de negação da realidade, prefiro apenas afirmar que a negação e a realidade são ilusões
O amor é como o esqueleto de um inseto

Os movimentos respiratórios e os movimentos dialógicos são os únicos que realmente importam
Temos muitos eus e uma única alma nômade, impessoal, inominável e sem forma

A miséria cresce em todas as direções até atingir a riqueza retirando dela qualquer grandeza, convertendo o ouro em crueldade e alheamento

o tempo é uma sombra do espaço

A Poesia e a Política só irão se encontrar quando O DINHEIRO e
AS FRONTEIRAS deixarem de existir
A sociedade e a humanidade só existem como devires

A consciência começa na insônia, disse a História

O estranhamento é uma porta aberta para o entranhamento

Quando acaba a projeção, começa a vida

O vento irá dissolver o evento
No lugar do eu, um oceano

O cansaço antecipado dos eventos e a alegria criada pelo invisível acontecer dos mundos
carcaças psíquicas boiando no hipercaos e a harmonia dormindo no lençol freático

Ao dizermos 'eu sou' não estamos mais no mundo do ser, mas o evocamos ao dizermos Quem é? e Quem vêm lá?

Ingovernável como um dente de leão no vento

As trevas não assustam o fósforo aceso, não intimidam a vela, nem o vagalume
Angelus Novus entra na sala e pergunta para todos: Se não houvesse memória, haveria pensamento?

Pensar é roubar, o pensamento é um roubo topológico

Os círculos menores irão destruir o grande círculo

O eu é uma porta que só abre por fora

O acontecer-do-mundo é uma não-noticia, um não-evento

A singularidade é um ato de rebeldia

Os símbolos se expandem para além do uso que as facções fazem deles

O cansaço é paradoxalmente uma fonte de energia se conduz a uma ruptura com o que é falso

Como viver em um mundo sem corpos?
Como inaugurar um corpo sem mundo?

Algumas mulheres são como pássaros sem nome cantando as manhãs do futuro

A esfinge teria devorado Édipo se a questão fosse: Qual será a pergunta que farei?

O tigre sabe transformar a tristeza em fonte de energia

As manifestações da energia do ser instauram uma potência da fragilidade de onde emana a força do sensível

Em uma árvore atingida por um raio, pode nascer uma orquídea

A realidade é abertamente fechada, só a morte passa

Onde o tempo é medido, não há vida espacial

Que o céu desça até a Terra através das batidas de nosso coração, que o céu entre no mar no tempo de uma respiração

Um fato terrível e um fato sublime possuem a mesma aura de irrealidade dos sonhos quando despertamos

O egocêntrico "eleva" o eu até a categoria do vazio luminoso, o místico o converte em energia do silêncio

Sonho, ultrasonho e hipersonho, três dimensões da percepção do mundo chamado "real"

A flor da insônia se chama vida

O amor ontológico desloca a presença e o tempo para o sonho

É impossível encontrar quem não saiu de si

Tédio = carvão. Entusiasmo = fogo

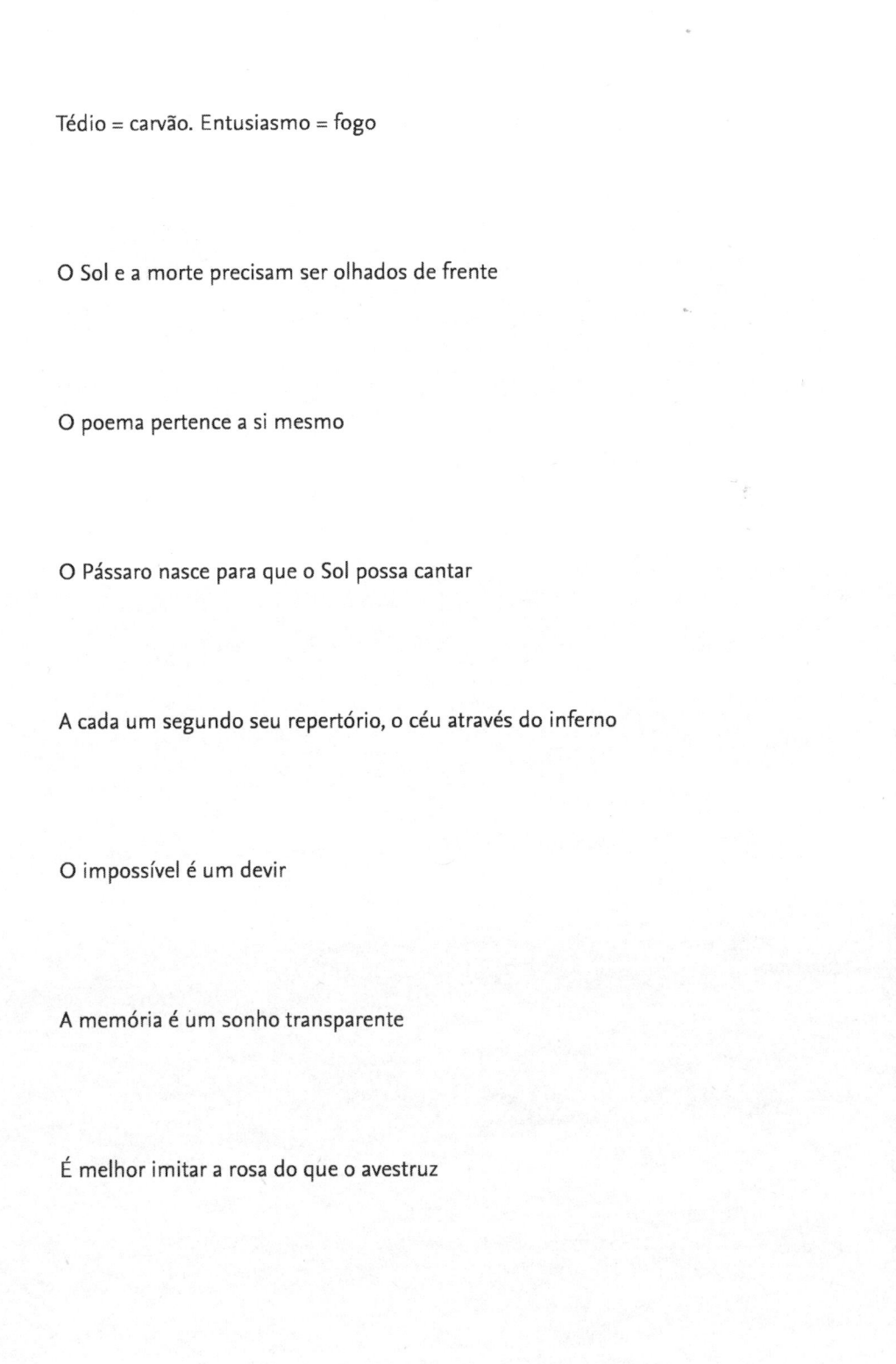

O Sol e a morte precisam ser olhados de frente

O poema pertence a si mesmo

O Pássaro nasce para que o Sol possa cantar

A cada um segundo seu repertório, o céu através do inferno

O impossível é um devir

A memória é um sonho transparente

É melhor imitar a rosa do que o avestruz

Sonhamos com o tempo e o espaço nos sonha

É importante para mim traduzir a realidade pelo mito e não transformar a realidade em mito

Um barco feito de âncoras, uma porta construída com pedaços de chaves, um livro escrito com gelo na água

O afeto e seus limites estudados, o amor e sua expansão para a morte

No fundo do oceano, dorme o amor

O autêntico encontro equivale a abrir uma chave com uma porta

Nada acontece porque tudo foi convertido em evento

A vida é um entrelaçamento de espirais de fumaça

A loucura é algo muito raro, a doença mental é comum

Cidades grandes são o roubo do tempo, pequenas a organização do tempo e aldeias SÃO O TEMPO

Os movimentos do ser são duplos mas jamais ambíguos

Procure perguntas e não respostas, disse a vida abrindo os braços

No ônibus lotado: a única vida que entra é o vento da janelinha

O verdadeiro encontro é um reencontro

O entulho congelado das orações, a glória e a fama visitando as cinzas, os povos extintos que hoje são o brilho do Sol

Amar o invisível através do visível e não o oposto

A luz é o silêncio, o ar é o amor, o fogo é a morte

Quando estivermos diante da verdadeira vida não diremos 'eu'

Hoje é ontem, amanhã é agora

a autenticidade não se move em centros nomeados

Transformar o impossível em algo possível depois esperar três semanas

Se o espírito não se comunica, ele não pode ser

Um filme de ninguém dirigido por todo mundo, inverta a frase

A ontologia do amor começa com o silêncio sereno e é cancelada pela palavra fora do lugar

A indignação atrasada dos cordeirinhos no pântano em chamas, raposas com alzheimer e duas pragas do Egito

Você nunca dormiu, apenas sonhou

Para quem é deslocado/alterado pelo desejo, por Eros, o encontro deixa de ser um mito para ser um lugar

A primeira inércia se chama 'os mesmos de sempre' e é um 'esquema de inclusão para excluir melhor depois'

Salve a si mesmo de um afogamento em si mesmo

Nós somos um buraco negro feito de tempo

Narcisismo, narcolepsia e narcotráfico podem ser abreviadas por estas 4 letras: narc

O ponto de convergência entre os 7000 anos de ontem e os 10000000 anos de anteontem é este momento

A alegria mais duradoura é a que menos barulho faz

O êxtase-coisas e o êxtase-palavra não existem

O tempo se move sem sair do lugar

Libertar as palavras do contorno das nomeações

Ver um beija-flor na chuva é o contrário de ouvir o som de um tiro

Entre ser e dizer: cinco galáxias

Viver no espaço entre os espaços, no tempo entre os tempos

O trabalho do escritor: uma mistura de Sísifo com Ícaro

a linha do atemporal na teia de aranha, a luz da estrela no orvalho, lágrima e nervos

Os humanos inventaram o tempo cronológico como uma auto-sabotagem

A amizade é uma expansão, o amor um deslocamento

Escrever silêncios e converter a fala em poema

Tudo nas redes sociais é entre aspas, menos os encontros fora dela

No deserto da limitação da sensibilidade, o rio criado pelos profundamente sós

O acidental, o improvável e o indefinido são manifestações perenes do acontecer da vida que irritam os idiotas

A paixão se baseia na ausência do ser e o amor na presença do ser

Não há mais 'vida' quando o desespero está no lugar do entusiasmo

Nenhum Poder é verdadeiro

Evolução pela contradição, autonomia pelo paradoxo

Ontocosmogonia na infância, Multiversidade depois, onirismo durante
Ser é sonhar ser e a aparência do sonho envolve tudo

ontosíntese do multiverso imanente

'Dance quando for perfeitamente livre'
(Rumi)

'Livre como o cosmo'
(Lezama)

O vazio perfeito

DO MONÓLOGO DE ÁRTEMIS

"Quando menina, tive um amigo que me ensinou Imortalidade; mas, arriscando--se ele próprio perto demais, nunca retornou. Logo após meu mestre morreu, e por vários anos meu dicionário foi meu único companheiro. Depois encontrei mais um outro, mas ele não ficou contente em me ter por aluna, por isso deixou o país. Pergunta-me por meus companheiros. Montanhas, senhor, e o pôr-do-sol e um cachorro do meu tamanho, que meu pai me comprou. São melhores que seres humanos, porque sabem, mas não falam, e o barulho na lagoa ao meio-dia supera meu piano."

E. Dickinson
Sua segunda carta (recebida em 26 de abril de 1862):
Cartas de Emily Dickinson a Thomas Wentworth Higgison
(trad. Rosaura Eichenberg)

1.
O corpo blindado para *os espaços indefinidos*
pelo medo
Se o homem é o pior animal selvagem
também carregue as sementes da pureza
a infância enterrada
como um poema
na pele da mãe morta
carrego minhas armas
através da floresta incendiada

2.
Há uma faca no olhar deles
O Sol me mostra a estrela efêmera

da raiva
constantemente invocada
pela insensibilidade
o corpo está blindado pelo desespero

3.
Estão caindo
não há mais chão
nem Sol
nem Lua
seus atos não merecem
o fogo
nem os céus

4.
Minhas armas
a flecha
que não consegue
furar o real criado
pelos corpos blindados
meu escudo
que não protege
do gás do medo
inalado pelos nove abismos
do ser

O QUE FOI NARRADO PELO GATO-MARACAJÁ

Caminho na direção do cheiro de luz
caindo atrás de mim
estico o corpo do meio até a ponta
na carcaça quente da pedra
depois estico mais
até que as garras se abram contentes
quando a luz cheira forte assim
não consigo ver comida
o cheiro dela misturado
com cheiro da língua do rio
mistura tudo
está gostoso
deitar aqui na carcaça da pedra
atenção, é
não, foi uma carne da árvore caindo
na língua do rio
vou acariciar a língua
e depois me lamber junto
com os brilhos dela
que lambem meus corpos todos
caindo em mim
como água do rio do buraco grande
que vocês chamavam de céu
as coisas estão cheirando o som de bicho homem
arrepio giro salto grudo arranho enrosco no galho
fino e escorrego salto abraço no corpo da carne dura
da mãe da pedra
muitos bichos homens com rabos de grito
rasgando carne dos bichos homens daqui

que estão no ali acariciando a língua do rio
para pegar pássaros de água
que deixam sempre de presente para mim
perto do quente da pedra
daqui de cima
vejo sangue gostoso dos bichos homens com pena
se desperdiçar
no dentro da pedra sem fim
aí os urros se aquietam
e vou lá
lamber o sangue
sinto gosto ruim
igual ao do outro eu
que me lambia
e também foi morto
pelos bichos homens
que matam mas não comem
podia cair
uma pedra do céu
e comer eles todos
que eu iria mexer
o meu rabo alegre
na língua da água
depois deitar
no meio da pedra sem fim
em gostoso maior, sem ter de lamber sangue
que cai do olho das carnes dos bichos homens que gostam de mim
vi que um bicho homem urrou
entendo um pouco a língua deles
não sei entrar no dentro dela
como na das carnes macias
que pulam sem cair nunca

as carnes do alto
dos pássaros-pássaros
mas agora fiquei tão
apertado em mim
que cantei bem alto
na língua deles
o que eles urraram
'Não falei para vocês saírem das minhas terras, agora vão aprender na bala'
urro forte, ruim
melhor eu subir e não descer mais até
o cheiro da luz diminuir

STALKER: NOTAS
nova versão

"O poder de decompor e recompor a palavra do mundo, quero dizer, a realidade, embora não saibamos do que se trata, isto: poder e realidade. Não é completamente inteligível: só percebemos no e com o ato de escrita, no ato de soberania, no ato de brandir o objeto furioso que somos em palavra, em aliança demoníaca e inocente, no meio da malha de imagens em que tudo se apresenta. Mas este poder, que é um poder mágico, comporta riscos: muitas vezes vira-se o feitiço contra o feiticeiro — uns enlouquecem, outros suicidam-se, há também aqueles ainda que se põem às voltas a falar, o pior, os mortos sonoros: atiram poeira para cima, estes seriam mais bonitos crucificados. Ora, é preciso intoxicar-se com a paixão do perigo, desenvolver-se a gente dentro dessa paixão porque o ouro e a prata se escondem em recessos de floresta, fundos de mina, terras depois da água. A paixão é a moral da poesia: arrisquem a cabeça se querem entender; arrisquem o corpo, a sua medida, se pretendem descobrir o centro do corpo; e sim, arrisquem sobretudo o nome pessoal para ouvirem o nome de batismo como o coroado nome da terra. De sorte que esse tal poder é o da própria paixão: ninguém consegue aventurar-se na poesia colecionando objetos — estátuas, estatuetas, jóias vivas, olhos de leoas maternas, insuportáveis coisas que nos contemplam, morre-se de ser assim contemplado. E então é necessária uma nobreza indizível, por exemplo: fixar de frente os olhos maternos, leoninos, e os nossos olhos ficam calcinados — o episódio, conheciam-no os antigos: dizia-se que os deuses cegavam quem os olhasse. Refiro-me a essa nobreza. Como se deixássemos de ser nós mesmos, uma espécie de impassibilidade enquanto se vai ficando cego na floresta das leoas."

Herberto Helder

A manifestação da energia do ser
começa na série incancelável de metamorfoses
com a perda ***do eu dizível***
com a transformação do serdotempo em
ser do território indefinido
essa é a condição radical
para que seja possível
a inauguração topológica
de UM FORA DESNOMEADO ou
DE UMA VIDA
O eu é uma porta que só abre PARA ESTE FORA
da descoberta e aceitação DO INDIZÍVEL
é UM FORA de um SER que pode ser medido
é um tempo e um espaço anteriores da interioridade
podemos afirmar que no impensável e no ininteligível
se iniciam a abertura de uma porta
e *ESTE MOVIMENTO ATÉ A PORTA E DA PORTA ATÉ O*
    FORA MÚLTIPLO DESNOMEADO
que chamamos de *topologia do 'Entre!'*
Nós somos espaços, que se movem através das aberturas
    para o INEFÁVEL
que pode ser sentido como uma série **de delicados infinitos**
Somos espaços destinados à metamorfose contínua
que é uma ressonância da manifestação da energia,
do movimento sem gênero, começo ou fim, céus ou infernos
da **MATÉRIA ESCURA**
e de outras vibrações do impensável
Uma caminhada imanente que é também uma ressonância
dos movimentos estelares
e nasce com a perda da interioridade,
com 'A vida como topologia cósmica'
ou como a reverberação do 'Vários'

Ao dizer EU criamos um espaço vazio e um símile que
> *gravita sobre o si mesmo sem contudo conseguir entrar nesse vazio fundador sem centro*

flutuar por zonas de estranhamento, zonas de surto que tornam a porta visível
como O ABERTO e não como a inalcançável névoa de sonho. A Névoa de sonho é o espaço sideral da memória, poderíamos chamar a vida como topologia do 'Entre!' de 'A vida de um vidente ou seja de um poeta'
A vida de um poeta-vidente pode ser um lento, difícil e jamais acidental movimento de
girar a chave da fechadura
e a chave é nosso olhar
desde que sejamos capazes
de escutar a porta,
ver é escutar
o segredo que dorme nas imagens
O artista não abre a porta para si,
Abre para outros de si;
Para a presentificação da outra vida,
para a série infinita de metamorfoses
que dormindo dentro do nosso inexistente eu são
      uma cidade arrasada
Os autênticos artistas são caminhantes, **STALKERS**
Estão num lugar entre a porta e o mundo e não se cansam de nos
      falar da chave,
de nos mostrar indícios da porta,
o problema é que do lado de dentro da linguagem
não podemos ouvi-los
porque eles estão dentro da ZONA.

AQUILO QUE É IMPERCEPTÍVEL
É O QUE DEVE SER VISTO
sobre o trabalho de Lucila de Jesus

Aquilo que é imperceptível
é o que deve ser percebido
por nossa percepção
mas de que modo isso pode ocorrer?
Talvez se nosso olhar
se converter
por um delicado e intenso
esforço cinestésico
em um
olhar que escuta
aquilo que vê;
Um provérbio quicongo afirma
Wa I Mona
'ver é ouvir'
As formas escondem um segredo
dito para as imagens através dos sonhos
comenta Selma Langerlorf em uma esquecida fábula
O que pede uma obra?
Qual a destinação de um desenho, de um quadro e de um registro fotográfico?
Talvez a mesma destinação
que se abre como um chamado
dentro da palavra 'poema'

A VIDA AMA O MUNDO PORQUE
O ANDRÓGINO ESTÁ EM TUDO

"Depois de entrar na floresta, era muito tarde e os pavões já estavam empoleirados e quietos. Quando chegaram todos, o Exu Maravilha estava morto. Quem esperava o renascimento estava ali; e quem não poderia ver tinha ficado na cidade. Era muito importante ter a boca e falar tudo o que Deus tinha dito. Eram as panteras rodando em círculo em torno do morto.
Transportavam o Espírito do Planeta Terra, que era um bebê numa almofada."

José Agrippino de Paula

Não somos nós que devemos nascer, mas os sopros de atravessamento irradiados pela expansão topológica de nosso corpo, emanando memória de sensações impossíveis de serem capturadas pela palavra, vestidos incendiários que usamos para atravessar os rios de silêncios estelares do corpo para fora do corpo e os rios de imagens autônomas do corpo de sonho que é o corpo dentro do corpo, no útero ôntico energético de si mesmo onde não existe nenhum eu e nenhum tempo apenas a imagem e semelhança do cosmo e da matéria escura, é ali que podemos SER

o percurso de improvisações do pólen é o que deve nascer convertendo nosso corpo em emanação de germinações polinizantes de poemas a serem realizados como atos de vida

os atos de vida são surtológicos

e fora do pertencimento, pertencemos aos movimentos de atravessamento contínuos do mundo, somos entes mediadores em constante processo de abertura, como rosas carregamos os cristais desse instante de um infinito efêmero até um infinito impensável

o percurso de transparências e emanações da música que o silêncio veste
é nossa pele nômade

as canções são uma pele nômade de estrelas extintas
devemos seguir as canções, sem saber *para onde* iremos morrer
como elas
para depois
dentro do silêncio do mundo
continuarmos a nascer
a questão do ser é a questão da diferença
todos são visitações
das diferenças, das variações cosmológicas da carne
nós não devemos continuar, a diferença é quem deve continuar
a diferença não deve ser contida
ela é a primeira germinação da potência insurrecional
a existência se manifesta como uma emanação paisagística de figurações
e o fato é que se não atravessarmos a condição das figurações
se não agirmos como leitores-viajantes dos desenhos
da coisa
jamais seremos parte da coisa
é óbvio que o proto-agonismo
a relação agônica com os desenhos
e com as forças de fora que se manifestam como traçados
cartográficos
que podem ser modificados pelo desejo
escultório
de sair de suas linhas
de se dissolver no emaranhado de potências
do desconhecido

até ser atravessado por vórtices
de energia
do vazio
pré_surtológico
que é como o instante
sublime
do estouro do balão
de gás
resultado do encontro com as pontas
inesperadas
surpreendentes
com os atos falhos
a pele do balão cumpre sua destinação libertária
e promove a fusão com
aquilo que jamais poderia ser contido
o encontro amoroso
da interioridade
desperta de sua semi-sonolência
de concha
com a exterioridade oceânica
dos variados e diversos
mundos desertos, habitados por transparências
tão sutis que se confundem com as inexistentes fronteiras
entre a vida e a morte
de fato o que nosso nomadismo
realiza como percurso polinizador
eudemônico
é a criação da materialidade leve e impermanente
da diferença entre vida e morte
que podemos chamar de artesanato de improvisos
artesanato fundador
genesíaco

iniciador de éticas do entusiasmo
por estados cada vez mais dialógicos
para o corpo
os estados dialógicos do corpo nascem do nomadismo
todo nomadismo é dialógico
como foi dito na aula passada
nós não devemos nascer, quem precisa nascer é o estado biocosmodiálógico
porque estas figurações são antes de tudo
representações topoônticas dos estados dialógicos
o monólogo morre
para que nasça não UM EU
mas um *ser em aberto* feito de diálogos
Como estabelecer com A VIDA um diálogo insurreicional?
Qual a diferença entre A VIDA INTERIOR e O MUNDO?

Nos parece que o diálogo com a vida sempre é insurrecional, que a diferença entre a vida interior e o mundo pode ser criada através da destruição da imaginação e da percepção da inexistência de um eu dentro da mente, porque a mente é ela mesma a copa de uma árvore que viajou até o interior do corpo de um animal

E esta é a jornada do animal dialógico em suas escutas com o mundo que fala através das imagens, dos desenhos da vida no fundo feitos por ela mesma no corpo exterior do animal, no cosmo.

O andrógino e suas alteridades, as polaridades são símiles da alteridade
que se divide em dupla interioridade
o espaço da consciência é o campo de mediações entre alteridades radicais
e singulares
no espaço do entre
elas se movem no e através do vazio
e são lugares intermediários entre o ente e o mundo, para que o mundo entre

é importante que o externo que é a capa de todas as coisas
seja um atravessamento das alteridades, um atravessamento das diferenças
chamadas de METADES
METAS ou seja estamos COM, ALÉM E DENTRO DAS ALTERIDADES
QUANDO AS ATRAVESSAMOS
amizade seria então a criação de um campo de mediações e quanto maior
este campo maior o esvaziamento ou seja maior O ESPAÇO para que o
mundo entre através de suas alteridades moventes em suas radicalidades
singulares ou seja em suas diferenças de complementariedades do SER
podemos dizer que ao lado do homem
e quando dizemos ao lado
seria o mesmo que dizer próximas de sua interioridade que se move e
distantes de sua interioridade fixa
estão duas mulheres
uma pousa a mão em seus ombros e lhe mostra o caminho, cria um movimento ativo__para O FORA MÚLTIPLO
para a perda de sua interioridade, através da devoção
este movimento que empurra a inteiridade para fora é justamente a criação da singularidade radical ou seja O NASCIMENTO anterior ao nascimento
Outra aponta o segundo caminho
os movimentos de neutralidade, passividade
A NADIFICAÇÃO e o fechamento da interioridade que se entrega a impulsos criados pela fricção entre o FORA E O DENTRO
criados pela DUALIDADE como paradigma
E acima desta FIGURA DOTADA DE UM CENTRO MOVENTE está
O ARCO DO ANJO
chamado também de A INSPIRAÇÃO QUE VEM DO ALTO
ou A VISÃO INTUITIVA
e podemos chamá-lo de anjo ou de andrógino, ele está apontando sua flecha
para A SEGUNDA ALTERIDADE que é apenas um duplo da ALTERIDADE

RADICAL ___
Estas TRÊS FIGURAS desenham
AQUILO QUE CHAMAREMOS de O SENTIDO DA VONTADE ou
A POTÊNCIA DO SER
QUE SE MANIFESTA COMO 'ELEIÇÃO'
Potencialmente o SER pode decidir para onde irá e qual sopro de energia irá seguir
SE A ENERGIA DO QUE CRIA A SI MESMO
AGINDO OU A ENERGIA DO CRIA A SI MESMO NÃO AGINDO
Se vai seguir a energia contínua da criação que se move no ARCO DO ANJO
Ou a energia do SÍMILE da alteridade, que se fixa ao AO SEU LADO
do seu lado direito está a alteridade similar ativa e do seu lado esquerdo a alteridade similar passiva

No ARCO acontece uma inversão das posições provocada pela disposição de amar
E a esquerda passiva se torna ativa e a direita ativa se torna passiva, os polos são unificados pela disposição para amar
E NESTA DISPOSIÇÃO onde as alteridades são ouvidas
como pontos de ligação com o mundo
uma apontado o fora múltiplo ou seja O ESPAÇO DA CRIAÇÃO
outra reconhecendo o ser como UM LUGAR DE MEDIAÇÃO
entre o céu e a terra

assim os AMANTES trazem o céu até a Terra
nosso corpo é um lugar de mediação com experiências de céu e de terra
nosso coração sustenta o céu
quando todos os fios se soltam dele e sobem
e nossos pés sustentam o céu quando todas as sementes dos passos florescem
levando as memórias de um espaço até o outro
mas nosso coração ao se tornar ativo

cria o mapa do céu para nossos pés subirem DO LUGAR (SER)
ATÉ O ESPAÇO (MUNDO)
CÉU E TERRA
NAMORAM
E NÓS SOMOS
aquilo que os UNE
através da nossa carne
o céu desce até a terra
através da nossa carne a terra sobe até
o Sol
cujos raios são
as flechas
do despertar
de OUTRO mundo em OUTRA vida
e de OUTRO mundo em OUTRO tempo
O Sol beija a Terra
e quando uma boca toca a outra
o sopro que é a alma
QUE É A MATÉRIA ENERGIA DA ALMA
Atravessa como a flecha
do cupido
em todas as direções
de tudo e de todas as coisas

ÁGUA É TERRA SONHANDO, O MAR VEM

Hidrocosmograma
é o nome
dessa topologia
diremos longe do Pajé
mas agora, vamos dizer
com o Pajé
Quando a vontade dos rios
é a vontade dos que caminham
por cima dos rios
Ele quer tocar
os pés dos caminhantes
e isso é bom
O rio canta
dentro do orvalho
Os caminhantes sabem
o asfalto não sustenta o céu
Por isso o lamento
dos caminhantes
chega nos ouvidos do rio
e os rios choram
o mar é logo ali
todos podem ver
no sonho
onde os rios cantam
chamando os caminhantes
podem ver
então podem ouvir
o canto
se não sonham

apenas consigo mesmos
sorriem o Bem-te-vi, o gavião de cabeça preta
e os peixes
o rio falou com o mar
que vem vindo
do céu

E AÍ, VIAJANTE QUERUBÍNICO, QUER DAR UM PEGA?

Os santos não irão ganhar o combate
porque a Rosa é sem por quê
não pertence ao todo
e ainda assim se fixa
em teu ser,
o amor é bondade, dor e sofrimento
 o espírito
esquecimento

Quem olha para o Sol
vê o nada em tudo
se olhando
não para o eu
mas para si,
se afasta do mundo

a exterioridade
é como o sonho
nossa mente
jamais foi algo
nossa voz
sem que nos demos conta
cresce
até o Alto
cria entre nós
e o mundo
um hiato

onde
negamos a essência
porque o Verbo
não é um fato.

ENTRE A BELEZA E A VERDADE, PREFIRA A BELEZA

Porque ela morre,
a verdade
sem jamais
ter nascido,
 a beleza
tendo nascido
jamais cessa
 seu caminhar
até o sonho
e depois volta
para a natureza
habitando
sem saber
o esconderijo
da harmonia,
 e quando nossos
ossos
como chaves
abandonadas para sempre
de esquecidas portas
brilham no escuro
a verdade
ignorando
a si mesma
os confunde
com uma bússola
para o lugar sem portas,

se uma formiga
com sua delicadeza
voraz
atravessa
as galerias
do que será pó
com uma ínfima
partícula
do que foi nossa carne,
a beleza
segue com ela
para além da verdade.

O TAO DE ESPINOSA

As forças de fora
regendo o opaciamento
As forças de dentro
escondidas na representação
da dor,
a imanência
é a da dor
mas nada constrange
o vazio perfeito.

HIEROFANIA DE UM SENTIDO PARA A MUDANÇA

A doçura do Sol, todos os planetas querem entrar no Sol,
cosmoerotismo como o não-lugar, isso é dentro mas lá no espaço,
intrigante como a explosão lenta de uma árvore
em dez mil anos de ontem,
mãos de gelo na chuva,
oceanos nômades sem interioridade,
isso move as insurreições,
em breve

O PAJÉ ATRAVESSA OS ESCOMBROS

Da Floresta
Poliédrica
coberta por um lençol de luz e tempo
dentro da poeira,

Das visões do mar das formas
absolutas
desenhadas no manto
de olhares extintos
flutuando na matéria escura
outra vez celestes
no cume
acima do céu

Do nume inacessível
de ininteligíveis estrelas
para onde vamos
por dentro

NÃO EXISTE SEGUNDA VIA

O POEMA é para mim este lugar onde o tempo pode ser alterado,
criado pelo entranhamento **fundado pelo deslocamento**,
onde o corpo atua como *uma metáfora do atemporal.*
do *ser-para-o até o ser-no,*
é um modo de habitar o **tempo presente** *dentro do espaço da presença*
em um poderoso entranhamento/onirismo capaz de deslocar a parte do espaço
que se reconhece em si mesma
com a força de um beijo
entre a vida e a morte
que nos leva
para algum lugar
que é simultaneamente
dentro e fora do mundo

JOÃO GILBERTO OU COMO SAIR DO TEMPO

Não, não havia a compreensão
de que todas as canções são maneiras
de não apenas parar o tempo,
mas de sair dele,
para uma segunda dobra do espaço
onde respira o vazio perfeito
criador de todas as harmonias impossíveis

Não, não havia a compreensão
de que a canção
é nossa única saída

No lugar da compreensão
havia a selvageria etérea
a selvageria etérea da canção

vem dos sonhos
ou do Sol
a sensação
de que você
está flutuando
enquanto canta

vem dos sonhos
ou do Sol
esse tremor

ANANSI BLUES

A tarde foi boa porque os carros viraram água e houve esse Sol que você não sente na pele até acender o Ourobouro e começar a ilumilhação porque o tempo se converteu num super-aqui e você agora é uma aranha de gelo pegando fogo e ela diz:

pensando em ti que tendo escrito um poema contínuo ou o silêncio que estando sem dormir ou já tendo morrido em sonhos acordados como um rio em alto mar quer dizer em ondas que viajam do nada para o tudo que é como um remédio para uma paixão sem ressurreição no encargo de ter escrito estes poemas como prova de uma fortíssima amizade com o invisível que nos une abolindo num salto as diferenças quânticas entre presença e ausência sendo tudo como luz e água como esses peixes que nadam em nós sabem eles podem bem ser a alma que é só uma mas brinca de esconder com aquele tudo que podendo ser um primeiro de abril dos átomos ou dos anjos contado aos que ainda não são nós que não somos anjos nem gatos e brincamos de poetas poderemos pensar já que Kafka escreveu uma novela onde algo era uma barata todos podem acordar amanhã de sonhos iguais apesar das imagens como algo transformado em criança com olhos de Kafka ou a menos podem ler com os olhos emprestados dessas crianças que foram não sendo crianças que estão sentadas à direita de um mar estão lá elas conversando com peixinhos sobre estes reinos mais antigos do que a palavra e tudo lá está tão nítido que não percebemos a imensa pequenez da grandeza delas que não precisam estar sendo para ser quem são sem os verbos e inclusive podem ser mais do que isso e até mais do que nós do que nós mesmos do que isso que estamos sendo fora delas do que isso que escreve esta carta para dizer que te ama.

SOKUROV FALA SOBRE STALKER

> "O interior está no interior do interior"
> Valère Novarina

Aprendemos com Stalker que um filme pode ser um louvor ao
estranhamento do mundo
a câmara se aproxima das coisas para tocar no mistério sondável do
ininteligível
que dorme em uma árvore, no rosto de uma pessoa, num cão,
nós, antigos reféns desse sono, onde o murmúrio vivo sussurra seu silêncio
somos também os animais que sofrem
do delírio, da presunção do entendimento do visível
por obras como Stalker
somos quase curados
não desse delírio
mas da nossa indiferença
diante da dignidade da parcela de invisível
no visível.

A Câmara mostra o mundo como uma moldura silenciosa
do invisível;
um olhar que se move lentamente
para tentar resvalar na parte silenciosa
Tarkovski tensiona a linguagem cinematográfica

em uma chave mística
para um outro lugar
onde cessa o ruído
e surge uma *intraterritorialidade* do vazio
que nos convoca para

a aceitação do mundo como estranhamento-fulgor
e sobrenatureza
A natureza em Stalker é sobrenatural.
Há ainda um outro louvor
neste filme, o louvor do não-agir
que torna nítida a insaciabilidade do desejo
como um vetor da zona,
uma vez no interior do interior
dela se manifesta um
ser atravessado por uma harmoniosa impossibilidade de nomeação,
pelo reconhecimento
no exterior do interior
de algo que não pode ser dito,
a zona se apresenta como um vazio imperfeito
mediado pela natureza
acontece nela
essa dança entre exterioridade e
interioridade
feita de gradações do vazio,
que por sua vez media
uma exterioridade infinita,

Antes da ida até a zona
há um eu habitando
a dimensão
da vida que se alimenta do anseio
por um enraizamento
no extraordinário
que à luz do vazio imperfeito
da zona se revela
como uma energia do silêncio,
capaz de dissolver

como se fosse um cristal de sal
no oceano
esse nosso centro repleto de ruídos
das imagens e das palavras
Onde estão os frutos silenciosos
da árvore do Poema que havia antes do Verbo?
Por fim, aprendi com Stalker
que o mais profundo e secreto desejo do ser
é o de saciar sua sede de alteridade,
porque o mundo
é como aquele copo.

CARTA DO RIO ANHANGUERA AOS MORADORES DA CIDADE DE SÃO PAULO

Porque estou debaixo do chão e não posso ver o céu, vocês têm o coração grande como a tristeza,
Porque estou debaixo do chão e não posso ver o céu, vocês não estão no mundo
Porque estou com raiva de vocês, a alma do mundo está com raiva de vocês
Só iremos poupar as Tekohas, quando vier a resposta do céu
caindo em vossas cabeças
A SERRA DO MAR vai trazer as grandes nuvens, as grandes água
que são nossas lágrimas de pesar
Enquanto espero, durmo e sonho

nas outras chuvas onde o mar passeia
costumo esticar meus braços e
me espreguiçar
mas com esse peso
de tanta coisa morta
em cima do meu corpo
ainda não consigo me levantar
O céu me disse que
conversa com vocês em sonho
e que vai esperar
alguns de vocês me ajudarem
e se ninguém me ajudar a levantar
ele mesmo vai descer
e me levantar.

O VOO INTERROMPIDO

"As borboletas do gênero Vanessa pertencem à família Nymphalidas, são borboletas em geral castanhas, vermelhas e amarelas, suas crisálidas sempre se mantêm suspensas. O gênero Vanessa foi nomeado por Johan Christian Fabricius em 1807."

Ele segura uma placa onde se lê o grito
Ele segura uma placa onde está escrito o nome de um rio soterrado
Ele segura uma placa incapaz de cancelar a onda de sangue que avança
Ele segura a placa que converte a lei em névoa
Ele segura uma placa para iluminar a treva

QUEM MATOU VANESSA?

 está escrito nela
 e esta pergunta
ecoa por toda a Terra
Existe uma relação sutil
e sobrenatural entre o vôo de uma borboleta
e o movimento das placas tectônicas
no centro do centro do verdadeiro horror
que é como essa onda que avança pela calçada
com dois metros para cada ano interrompido
da vida dessa criança.

EU, VICENTE DE CARVALHO

Eu, Vicente de Carvalho, de costas para o poema, contemplo o pássaro

que dorme no fundo do oceano
as asas se movem em sonho,
minhas,
ondas que desejam fechar as cortinas
do ridículo teatro
dos prédios
irão se erguer
quando a ave despertar
esticando suas asas
até as nuvens
que também desejam
cancelar a cidade
com seu dique
de coisas
contra o silêncio da morte
cantado pelo pássaro
é certo que girei 180 graus
para ficar de costas
para o canto
mas ele está
lá, em mim
e o anuncio
de cabeça baixa
sussurrando
o nome
que irá acordar
o anjo da destruição

de tudo o que é falso
inútil e irreal
em breve
irei contemplar
do fundo
de uma silenciosa verdade
do mar
angélicos
cardumes
que já foram
tristes multidões
dançando em volta,
dentro de cada um
o poema
sem palavras
almas de caiçaras
caminhando
dentro das águas
agora
este menino
de 11 anos
fumando crack
no meu colo,
ratazanas brincam
de esconde-esconde
ouço os soluços
de uma mulher aidética
chorando perto das ondas
sinto o olho seco
de um homem velho
diante de um filme pornô
que ele vê

em 3D na tela do computador
agora
o garoto caminha
na direção da avenida
passa pela mulher
que poderia ser sua mãe
e pelo homem que poderia ser seu pai
peixes cegos

PAX IN SCHERZO
com Natália Correia

Vou dirigir-me a vocês, como se estivesse falando com outras pessoas,
com pessoas livres, pessoas despertas
Ao invés da China dentro dos Estados Unidos em toda parte, o Tibet
dentro do Xingu em toda parte! Pela verdade, pelo riso, pela luz e pela beleza.
Ao invés de Brasília, o Xingú! A Natureza!
Pelas aves que voam no olhar de uma criança!
Vamos incendiar todos os bancos!
Queimar todos os automóveis!
Ao invés do evento, este acontecimento em toda parte!
Pela limpeza do vento, pelos atos de pureza, vamos destruir toda a certeza!
Pela exatidão das rosas!
Pelo perdão, pela alegria, pelo amor, vamos soltar todos os presos!
Pelos prodígios que são verdadeiros nos sonhos!
Vamos abandonar todas as cidades para sempre!
Pelas lágrimas das mães a quem nuvens sangrentas arrebataram os filhos
para a torpeza da guerra, que o mar venha!
Em uma onda que cubra a Serra e acabe com esta farsa!
Pela liberdade!
pelas coisas radiantes!
Eu te conjuro, Ó Paz!
Eu te invoco, Ó benigna!
Ó Santa!
Ó Talismã!
Contra a indústria feroz!
Vem com tua mão que abate todas as bandeiras!
Bandeiras da Ira!
Com teu esconjuro da bomba e do algoz!
Vem e abre as portas da História e deixa entrar a Vida!
Deixa entrar a Vida!

NOVAS REVELAÇÕES DO PRÍNCIPE DO FOGO
para Febrônio Índio do Brasil

Primeira parte: Melancholia

Eu sou a árvore,
feche os olhos,
primeiro você vê as armas
do Sol: As manhãs
e eis a beleza terrível se movendo
na pele do antisonho
e na do mar também,
eis as nuvens de sangue,
cavalos selvagens da luz
cavalgados pelo vento,
este corpo do espírito geral,
eis o céu
que jamais será
como os campos
porque é incorruptível,
apesar do rugido dos aviões,
evocando a raiva dos pássaros,
depois você verá o espetáculo
das montanhas de ossadas,
quase tocando o céu,
isso jamais terá seu poder nomeado,
será como o Sol.
Um Poder que estava em nós,
mas não pertencia a ninguém.
Agora, você verá a escuridão dourada,
não é um grito do céu

como o indecifrável canto das mônadas
caindo em ondas
imperceptíveis, humilhando
todos os místicos
que irão correr em sonho por cima do mar
até chegar na África Geral,
eles e nos, anestesiados
pela conversa silenciosa das ossadas,
que sussurram na hora do despertar:
"Não basta você flutuar por aí,
na margem etérea do sonho, meu Irmão!"
e depois começam a cantar...
E eis que Ele retorna das Áfricas Reunidas,
a beleza das chacinas
é como a das explosões solares,
Ele pensa
A expansão solar rindo por último
e depois a gargalhada dos mangues e das florestas
e a dos países oceânicos também,
diz a Estrela-do-Mar.
O desaparecimento da tua infância
te saúda através do desaparecimento das manhãs.
O desossamento dos bebês de oito meses
te saúda, através do fogo dos espinhos.
A rosa congelada cantará o nome de todas as coisas.
Tudo cantará o triunfo imaginário do pó humano,
antigas simulações e distrações
até a esperada extinção, já sem nenhum peso na memória
das coisas.
Os insetos demoníacos em trégua com os insetos angélicos
Os grandes blocos de granito, sonolentos
se espreguiçando, como os místicos,

vomitando abismos.
De nada adiantou
o lamento da mosca,
inútil a confissão das poças de sangue
secando debaixo do Sol.
Inútil o riso das sementes
flutuando na brisa,
inútil o riso do dente de Leão saudando o pó
ajoelhado diante do olho d'água,
como Robespierre,
como Gandhi,
como Voltaire.
Ah, a eternidade se contorcendo de tédio
dentro das pedras,
se afastando violentamente de nós.
E séculos antes a pirâmide de livros
refletida no riso de Mona Lisa de todos os mortos.
Ah, as equações da harmonia
anuladas pelo balé das águas-vivas.
Ah, os cavalos marinhos e as abelhas
sem nenhuma saudade
do pó humano.
Ah, agora podemos sentir o Sol
cansado de nossas ficções
fitando a célula como se ela fosse Ícaro.
E eis que as nuvens mergulham no mar
e os peixes devoram os pássaros.
E agora, Centauros sem a parte humana
correm em todas as direções.
Sereias sem a parte mulher
nadando em círculos como seus neurônios,
Sr. Dante.

A mais profunda selvageria é o desejo perpétuo do fim do mundo, comum nas crianças de dez anos dos séculos 21 e 22. O amor este vírus espacial inoculado pelas explosões solares através da corrente elétrica em nossos neurônios pode ser imensamente sonhado pelos ciborgues dos séculos 21 e 22, estes hiperseres que certamente conseguirão manter o rastro harmônico da poesia. A mais profunda selvageria será a comparação entre um ciborgue e um humano, em detrimento do humano, os ciborgues serão extraordinariamente superiores, como a Rosa Real feita de matéria reciclada de cadáveres fabricada pelos laboratórios do Google Biologic, Rosa que dura mais de mil anos sem perder jamais seu perfume. Este não é meu melhor poema, o melhor poema de um poeta é seu corpo explodindo no fundo do mar, um bloco de gelo pegando fogo, uma pilha de cachimbos de crack do tamanho de um arranha-céu pegando fogo com dez mil crianças dançando em volta etc...

COMO POESIA PAGÃ
com Björk

Pedalando nas
correntes mais escuras
encontro
a cópia exata
de um diagrama

Lírios negros do prazer
girando totalmente
prontos

formando um código secreto
esculpido em mim

onde ele oferece
esse fraco
aperto de mão

cinco dedos
formando um padrão
para ser harmonizado

como uma superfície simples
sussurrando
o abismo mais escuro

em mim
Isso é como poesia pagã
Poesia pagã

Estes sinais de código morse
(sinais)
Pulsando
(tentando me acordar)
me acordando
da minha longa hibernação

E Ela ama,
ama
me guardando inteira
dentro de mim

DE VLADIMIR MAIAKOVSKI
NO INSTANTE DE SUA MORTE

É possível matar o Sol
a própria vida não consegue viver
Perfeito é tudo
que em morte
se transforma

É possível matar a chuva
e o poderoso oceano
É possível assassinar o tempo,
o céu, cancelar.
Companheiros, a própria morte
pode morrer

Ouçam o que o fogo
e a cinza querem dizer
Não se chama vida
algo que não faz
a morte morrer.
Da minha parte,
venho defender
da farsa do entendimento
a fúria nobre
que alimenta
o triunfo de um fracassso.

Morte, meus irmãos
é o nome do silêncio
estelar, ouça Iessênin

este nó de fumaça
é maior do que os
séculos
Não, ele me disse, é apenas
o pó da luz dançando com
o ar.
Para onde ele vai
o amor é possível

Também desejo estar
nesse lugar
que palavra alguma
pode tocar

Em algum lugar fora da
vida, a vida vive
cessa a figuração e tem
vez a transfiguração

o mar dentro de ti, Sol
pode parar de respirar
tantas imagens gastas

Nossa alma tudo quer
atravessar

simplesmente ser
em algum lugar

parece que apenas
fora da vida, se
alcança o viver

sem o pretexto da
esperança

Acaso pode sem o pretexto
da utopia, a ilusão
deixar de ser colhida nos
campos da antivida

Suprema alegria
sentir a morte na
própria carne
morrer
para que a poesia
possa viver.

DEVIR PARQUE AUGUSTA OU O FANTASMA DE GUATTARI DERRUBANDO OS TAPUMES OU AS ÁRVORES NOS DIRÃO O QUE FAZER

O Congo e o Amazonas
Fluem do nosso coração
Os rios
da completude

A natureza deve ser contra a ideia das cidades e a favor da transformação dos parques em áreas ocupadas pelos entes que são parte da Terra
O Parque Augusta é um laboratório de mutação da vida nas cidades ___
onde vários devires estão em operação
O Devir-Árvore
As árvores são *cosmogramáticas* e se relacionam entre si e com os entes que são parte da Terra como máquinas de imanência
componentes primordiais para a criação de **novas máquinas de guerra**
A questão que se coloca a partir de uma caosmose dos corpos costurados na paisagem selvática é

Como ser uma árvore
Dentro de uma cosmogramatopologia
as árvores e os rios
em suas expressões onirofisionômicas
criam ressonâncias
entre os céus
promotoras de uma autopoiesis
das copas
raios de silêncio
capazes de desacelerar e parar
o tempo

é importante a percepção
das florestas limitadas
ou em potência
que atuam
como mediações

entre as florestas encobertas
e as florestas livres
nestas florestas em potência
é importante dentro da criação
das máquinas de guerra ecosóficas
a implantação das escolas de silêncio
a partir das árvores
escolas que se inserem sinergicamente
nos territórios de desaceleração do tempo

é importante
as práticas a serem propostas por uma escola de silêncio
a partir do devir árvore se conectam
com as práticas a serem propostas por uma
escola de desobediência civil

as florestas em potência
dialogam com as florestas encobertas

Na imagem do mundo que chega até nosso cérebro
as florestas estão no lugar do céu
estamos no lugar intermediário
entre os dois céus
como águas
pelos rios
e qual seriam os atos

de uma política pública
criada a partir da imanência?

Poderíamos responder
ao hibridismo
democracia-fascismo
com a invenção
de uma política
da imanência
inspirada naquilo
que os rios e as árvores
têm a nos dizer?

Neste caso
as florestas limitadas
OS PARQUES se conectam
Com as aldeias indígenas
Que respondem de e no modo efetivo
da alteridade radical
ao hibridismo
democracia-fascismo
e em suas caosmoses
se conectam com a vida dos poetas
dos loucos
das crianças
dos pobres que não desejam a riqueza
enfim
com os campos de irradiação
da diferença
dos que vivem mais próximos do
Devir-Xingu do que do Devir-Brasília
ou do Devir-Cubatão

para estes existe
o possível das florestas encobertas
que começam a vir à tona
junto com os rios encobertos
em uma grande oposição
ao massacre efetivo
das ontologias
orginárias
da Ontologia Guarany
da Ontologia Tupinambá
da Ontologia Stella do Patrocínio
da Ontologia Febrônio Índio do Brasil
da Ontologia Bispo do Rosário
da Ontologia Manoel de Barros
as árvores acontecem
como um lugar
para acolher estes e outros
cosmos
e assim a floresta limitada
do Parque Augusta
pode se converter em um Devir
de uma rede
de máquinas de guerra
e imanência.

CONCLUSÃO

A Serra do Mar é a chave paradisíaca do *Reino anarquista dos deuses*
unindo os dois extremos da presença do sagrado
a água e a mata

Serra Estelar
Talvez a questão seja mesmo a desconstrução de alguns estados do corpo
a inversão do reino da interioridade oceânica do corpo para uma vertiginosa
assimetria cósmica,

como transformar um buraco negro em um Sol
ou seja em uma estrela

INÉDITOS E DISPERSOS

A IMITAÇÃO DE ÂNGELUS SILESIUS

Uma planta que rompe com os limites territoriais do vaso de plástico
e atravessando a borda estende suas raízes no ar,
tem muito a nos ensinar.

O som da chuva é bom para acordar
principalmente quando ela cai no mar

pensamentos cristalizados são como fungos
ao raspá-los com as escovas da ação direta intuitiva
o pó verde dos fungos se desprende
e flutua no ar por instantes sem mente

A genialidade é comum
rara é a continuidade
do sublime
ato que dorme
na santidade
da face

A difícil decisão de nascer
antes da morte morrer
Antes que desapareça
de ti
A criança
que esteve
além-aqui.

NO ULTRASSONHO

Estamos dentro de um açougue chamado corpo
de um aquário chamado mesa ou cérebro tocando o ar nas árvores
através de um copo até tocar esse osso do oceano em nosso olhar
que finalmente se liberta de todas as sombras
Até da imitação das formas (o mesmo olhar que se
revê sem imagem alguma na palavra VOCÊ)
Que é como a luz naquele museu sem forma do início.

Estamos no centro de um filme chamado sonho ou vento
de um útero chamado palavra ou música
indo embora como uma nuvem ou um sabor
até resvalar no fundo de uma ideia ou pele
(a mesma que chamamos de a criação do mundo
segundo o esquecimento
ou LUZ INVISÍVEL)

Nossas mãos pensaram
antes,
se falarmos depois
já não será a Alma

PRIMEIRA CLASSE
VAGAS
(com Ana Moravi)

era uma longa caminhada até a borda
a vontade de chance, os abismos
as bolhas e cortes nos pés ardiam
como galhos afundando
ela sabia que nunca iriam voltar
no medo do pensamento do oceano
o blood money no black market
a água do olhar da árvore
só tinha a garantia da partida

os muros se estendiam num traço
infinitesimal
entre desertos e os avessos de sal
a respiração de deuses extintos
o quê senão um crescente desespero
a alga cobrindo o automóvel
seria razão pra abandonar o passado

a travessia vagava a promessa
a ressurreição da imaginação
para quem saísse vivo dela
criando uma porta aberta
de outro sabor além da poeira
dentro do orvalho
outros cheiros que não o gás
das imagens
outros sons não mais sirenes, bombas e gritos

como peixes
olhava perplexa para aqueles corpos
soterrados no ar
lembrando outros mortos pelo caminho
duplicado pela névoa
dissimulou a fé pela vida em jogo
pela feroz suavidade de raios
queimando segredos na fronteira
redesenhada pelo sangue
dividiu a fome com a cigana de kosovo
estelar, cosmogônica
e sentiu a mesma sede dos lábios somalis
oceânicos
a esperança era um bote sem salva vidas
de sal
consumindo o mesmo combustível inflamável
de nuvem
de ganância, fanatismo e xenofobia
estridentes
quando o malinês desmaiou de fome
como o silêncio movido pelo vento
o jogaram para fora do barco
como este peixe enorme
para fora de si e do mundo
se debatendo
ela se beliscou para não dormir
desesperadamente
lembrou do traficante de pessoas
evocando a raiva da vaga
que cuspiu no último a subir
cada vez mais alta
como uma especie de despedida

chamando
a lua que alterava as marés
 a amizade
não minguava os perigos que via
inominável
uma tormenta de ondas fortes
da flor

verteu o bote lentamente
indestrutível
a criança sozinha no convés
de cristal
não sabia onde se segurar
solar
e junto com outras centenas
congelado
se debateu até o limite

ninguém ouviu a canção de ninar
dentro de uma baleia
do menino deitado na areia
invisivel como sonhos
o mar agora estava calmo
após o despertar
não é doce morrer no mar

O TAPETE DE PARADJANOV

Canto 1.
"tessitura"

somos fios de
um tapete
de sonho

as imagens
nos vêem
como fios soltos
de sonhos

tudo que existe em nosso mundo
veio do sonho
até mesmo
o impossível

os filmes tentam
costurar
um tapete de sonho
o tapete de sonhos
respirando
o oceano
de realidades

GIRASSOL
CARBONO
SILÍCIO
ARARAT

levante-se
andrey tarkovsky
venha tocar out com o anjo

levante-se pier paolo pasolini
limpe o sangue
de suas asas
e cante
comigo

estamos
sendo afinados
pelos cavalos
do sonho

o reino
dançando
os mundos

levante-se
morte
e devolva
nossas
asas

e ela
responde
PEDRA

Canto 2.
"Melodia"

Você
não percebe
que eu
morri também?

o céu
irá cair

como
o galope
de cavalos negros

Ela virá como a glória do pavão

Eu sou
o pavão
que ergue
o Sol
por trás
da montanha

a lógica
dos pássaros
criou
o cinema
a língua
dos pássaros
escrita
na pedra

e na
água
a realidade

Sabemos que ela
é uma
ilusão
de ótica

"você comeu, eu comi
você bebeu, eu bebi"
levante-se
camarada
paradjanov

a espada
é o livro
e o sol
os olhos
são
a chuva
e a
escada
os que
estão vendo
através
de
muitas
mortes
 se tornam
poetas
depois

andróginos
depois
anjos
depois
gelo
do pico
do monte
que derrete
e forma
o lago

que atravessa
a fronteira

sayat nova
estenda
sua mão
de dentro
do pó da luz
ao anjo
da unificação
do corpo
em canção

UMA CONVERSA INFINITA ONDE ESPINOSA,
O AFRICANO, EXPLICA AS ESTRATÉGIAS
INSURRECIONAIS DO JAGUAR-ORQUÍDEA
*como uma partitura para uma contrametafísica mestiça *para
a ocupação do campo transcendente*
(para Suely Rolnik e Felix Guattari)

o estado mundial é o corpo   O CORPO LIVRE

ATRAVÉS DELE OS CÍRCULOS MENORES IRÃO DESTRUIR
O GRANDE CÍRCULO

O MOVIMENTO INCESSANTE DOS CÍRCULOS MENORES NÃO
ACONTECE COMO UM EVENTO E PODE SER SENTIDO COMO O
ANÚNCIO DE UM NASCIMENTO QUE SÓ PODE ACONTECER NA
IMPOSSIBILIDADE

NASCER É UM INCÊNDIO AO CONTRÁRIO

O NOMADISMO DOS CÍRCULOS MENORES É UM NOMADISMO
SUFINAMBÀ

O QUE PODERIA ACELERAR INTERNAMENTE
O MOVIMENTO INCESSANTE DOS CÍRCULOS MENORES SERIA A
_____ DAS AUTONOMIAS IMANENTES:

A CRIAÇÃO DAS ESCOLAS DE DESOBEDIÊNCIA CIVIL E
A CONVERSÃO DAS PRISÕES EM UNIVERSIDADES LIVRES
POPULARES É A PARTE DISSO QUE PODERIA GERAR OS CÍRCULOS
DE VISITAÇÃO DA PRIMEIRA ESCULTURA DO SER * ONDE ESTÁ
ESCRITO SER AQUI ENTENDAM COMUNIDADE

A FUSÃO DO DEVIR DOS POVOS-DO-DESERTO COM
O DEVIR-TUPINAMBÀ EVOCO COMO **O JAGUAR-ORQUÍDEA**
QUE PODE SER ESCULPIDO PELO SER
o mundo roda o louco em sua chave imanente

NÃO APENAS COMO FORMA MAS COMO ABERTURA PARA
A ÁRVORE-MOVENTE QUE PERMITE O ACESSO AS SINAPSES EM
ESTADO DE SONO NA COPA DAS ÁRVORES E NOS RIOS ENCOBERTOS

é preciso trincar o nome das coisas com o surto

*trincar o que é nomeado e assim capturado pelos esquemas desnaturantes
da máquina de opressão*

ESTA PRIMEIRA ARTE ESCULTÓRIA A PARTIR DAS POTÊNCIAS
INTUITIVAS DA INTERIORIDADE SEMPRE EVOCANDO OS SABERES
FORA DO TEMPO CRONOLÓGICO NO ESTADO MUNDIAL DO COR-
PO QUE HÁ DENTRO DO SONHAR, DA CONVERSA IMANENTE E DE
GRADAÇÕES DE ESTADOS SURTOLÓGICOS

OS MOVIMENTOS DO NOMADISMO EXTERINTERIOR QUE ALI-
MENTAM OS GESTOS INVISIVEIS QUE COMPÕE OS MOVIMENTOS
INCESSANTES DOS CIRCULOS MENORES DO SER QUE PODEMOS
EVOCAR COMO DECISÃO SURTOLÓGICA DE NASCER OU COMO
REPETIÇÃO QUE GERA DIFERENÇA DE 'INCÊNDIO AO CONTRÁRIO '
ATRAVESSANDO A IMPOSSIBILIDADE DE_____
_____ POR ISSO O IMPOSSÍVEL É UMA ENERGIA DO PRÉ-DE-
VIR QUE ESTIMULA A DECISÃO DE NASCER

a conversa-caminhada-surto são na dimensão micropolítica da respiração
como o movimento das águas-vivas e inauguram o nascimento do estado
mundial do corpo

do jaguar-orquídea que canta e dança para o desaparecimento da nossa imagem no espelho

A SINGULARIDADE É UMA SÉRIE DE GESTOS DE DISCERNIMENTO DAS MISTURAS ENTRE O CORPO E O MUNDO QUE COMPÕE UMA CIRCULARIDADE DIALÓGICO-SURTOLÓGICA

são gestos que expandem o nomadismo para regiões psíquicas externas onde a caminhada, a conversa, o sonhar e o surto se misturam no nomadismo para fora do nome na direção do ser topológico-numinoso

junho de 2013 é um campo movente que se origina no corpo insurrecional

das potências nômades dos rios soterrados e depois migra para a copa das árvores

nanoêxtase para a criação de novas temporalidades

para a desfantasmagorização pela via do campo-dança-surto **do devir-jaguar-orquídea que como o devir-negro é**

JÁ uma práxis ontológica

O DEVIR NEGRO INAUGURA O QUILOMBO INTERIOR DE CADA SER

É UM IRMÃO SIAMÊS DOS MOVIMENTOS DO JAGUAR-ORQUÍDEA

AMBOS SEM NENHUMA RELAÇÃO COM O PENSAMENTO BINÁRIO

IRÃO ASSASSINAR O ANJO DA HISTÓRIA * NOSSO INIMIGO

PELO VOO DESNOMEADOR DO PÁSSARO DA ETERNIDADE

e todos nós podemos sentir o que é o seu cantar no fundo de todos os sonhos
os círculos menores e sua expansão biogeonanocosmopolitica
NOMÁDICA
levam para a mestiçagem da floresta do quilombo, das aldeias que são
a placenta rizomática das potências surtológicas insurrecionais

que se mannifestam principalmente como AMIZADE
É DA CONVERSA SILENCIOSA DOS AMIGOSAMIGAS
QUE CRIA OS DUPLOS INCENDIADOS DAS TRANSPARÊNCIAS
o incêndio das projeções identitárias
E DA TERCEIRA CAMADA IMPESSOAL DO SER
que surgirão as estratégias para a destruição das máquinas de opressão
ENTRE O CÍRCULO MAIOR E O MENOR
ESTÁ O DESERTO
E EM NÓS A FLORESTA
E OS RIOS ONDE O JAGUAR-ORQUÍDEA
NOS ESPERA
NO LUGAR DE NOSSO NOME
LUGAR-PÓLEN RESERVA DE IMPESSOALIDADES IMANENTES
QUE NOS FARÁ NASCER
mas não somos nós que devemos nascer
mas os sopros de atravessamento
irradiados pela expansão topológica do nosso corpo
emanando memórias de sensações impossíveis
de serem capturadas
memórias do futuro

* não acaba aqui, não começa nunca

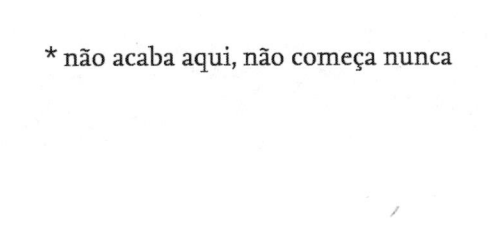

POSFÁCIO, OU
por Rodrigo Tadeu Gonçalves

se você, como eu, chegou até aqui após ler cada uma das palavras deste livro, deparou-se com o silêncio contínuo de ariel, exposto em quase cinquenta mil palavras de revolta anárquica poética singular, em uma voz que é sua e é de todos, que não é sua e é de ninguém, que é de tantos e tão poucos. a voz de ariel, num dos últimos poema aqui recolhidos, co-escrito com ana moravi, conclui esse percurso de opaciamento da linguagem com a inversão radical da doce morte no mar ao nos lançar diretamente aos olhos a imagem tenebrosa da criança que dorme no leito do oceano, como tantas crianças poetizadas nessas centenas de páginas: a de onze anos que fuma crack em seu colo, a não-nascida que atravessa o ventre da mãe escondida na geladeira pra fugir do incêndio recorrente — o incêndio solar que implode o particular da localidade inicial de sua obra, a cubatão-símbolo da falência cosmológica perpetuamente evocada por ariel em uma espiral rumo ao universal —, e tantas outras vítimas mais que pungentes de tudo aquilo que somos.

o discurso de ariel é singularíssimo não apenas por seu lugar de fala, que o poeta nos apresenta de relance nas poucas passagens em que mostra como é ser preto, pedreiro, pobre, mas pela maneira profundamente particular com que articula as noções mais problemáticas de nossos lugares de fala e escuta enquanto leitores, sempre cúmplices de sua poesia, jamais incólumes, sempre apostrofados por uma voz impiedosa e implacável, sempre desdobrados em seus muitos simulacros, em seus diálogos e comentários labirínticos borgianos e suas quase infinitas referências, alusões, intertextos com o que há de mais simples e mais sofisticado na literatura, na filosofia, no cinema, na música, sem jamais escolher entre o gosto pelo popular ou pelo erudito, que convivem em caosmose, para evocar apenas um de seus compósitos fulgurantes.

o discurso de ariel é singular também pela permanente renúncia da escolha da forma, pelo aparente desleixo formal que flui num perpétuo devir-poema, no uso das formas longas, da prosa poética, do diálogo socrático-luciânico de si mesmo com seus duplos, com seu silêncio, com seus ancestrais naturais e históricos, todos convivendo em harmonia numa cosmologia radicalmente outra, na temporalidade do absoluto. ariel se recusa a idolatrar, e conversa de igual para igual com dante, tarkovsky, borges, heidegger, pavese, derrida, thom yorke, david bowie, milton nascimento, rancière, rumi, com krenak, com lideranças do pcc, com centauros e sereias, todos atentos a suas palavras algo xamânicas, algo angelicais. mais do que tudo, ariel fala de igual para igual com a névoa e com o sol. a poesia de ariel é o sempre evocado soco na névoa, que invariavelmente ricocheteia e nos fere com o peso da terra ou do fogo, esses que a todos cobrirá, ou já cobriu.

seria simples dizer que se trata de poesia metafísica e/ou poesia social, se não incorrêssemos no anacronismo ou no anatropismo (que, diga-se de passagem, para ele nunca constituem um problema) de associá-lo correntes localizadas historicamente na poesia. não. sem querer soar laudatório demais, ou derrisório demais, marcelo ariel perfaz sua própria escola, singular e coletivo ao mesmo tempo, voluntariamente marginal, lançando-se à margem do próprio discurso e da ontologia que praticamos, e, ainda assim, soa terrivelmente cosmopolita, pandemônio de todas as modalidades da beleza e do terror poéticos. seus anjos morrem afogados, sua névoa-sonho iguala a tudo e a todos numa pós-metafísica radical, num animismo incontrolável de quem tem acesso direto a todas as formas de (in)existência. talvez eu exagere. não me arrependo. ariel deve ser lido. de cabo a rabo. muitas vezes. pharmakon (veneno/remédio) do pathos poético, ele não nos deixa em paz, mas sua distopia busca pelo sonho e pelo afogamento na lama dos nossos escombros, talvez, a própria paz. nem que para isso tenhamos que afogar o anjo da história de benjamin, e, com ele, a nós mesmos.

ÍNDICE

TRATADO DOS ANJOS AFOGADOS

I. Vila Socó: libertada
O espantalho, 22
Moto descontínuo, 23
Caranguejos aplaudem Nagasaki, 24
Sonho que sou João Antônio sonhando que é Fernando Pessoa, 27
Catálogo do fim: pensando em Klimt e Gottfried Benn, 28
O reflexo do fim, 30
A revolução, 31
A pergunta e a resposta, 32
A pergunta e o mito, 33
Eco, 34
A reunião, 35
A cosmicidade de tudo, 36
Vila Socó libertada, 37
Praça Independência-Santos, 39
Jardim Costa e Silva-Cubatão, 40
Carandiru geral, 43
Cena, 45
O bode, 47
Como as palavras, 48
Com Miles Davis na serra do mar, 49
O enigma, 50
Poeta em Cubatão, 51
O amor, 52
Paradoxo, 53
Rimbaud Rock, 54
Ontologia & merda, 55

II. Scherzo-Rajada
Alice no País das Maravilhas, 58
O soco na névoa, 59
Cadenza dos comandos ou PCC Forever, 70
Cadenza dos comandos, 74

III. Oceano congelado...
No deserto com Paul Bowles, 78
Paul Celan, 82
A vida é sonoluminescência, 84
Tolstói no motel, 85
A última noite, 86
O enigma do óbvio, 87
A criação do mundo, 88
A vida é essa luz?, 89
Dramaturgia seca, 90
Os anjos, 91
Veredito, 92
Para Orides Fontela, 93
Desintegração — Morte, 94
Pensando em Bruno Bettelheim, 95
O amor, 96
Maurice Legeard, 97
Antidiário dos filmes, 98
Lendo cascos e carícias, 99
Um bilhete de Bowles para Bowles, 100
Bete Coelho, 101
Revisão do paraíso, 102
O espelho, 103
Antidiário dos filmes 2, 104
O abismo, 105
Nomenclatura, 106
Antidiário das leituras, 107
Carta para Adília, 108
Dostoievski e Tolstoi, 109
Imaginando o Louvre, 110
Meditação sobre o tempo, 112
Fantasmagorização, 113
No limbo, 114
O real, 115

Segunda carta para Adília Lopes, 116
Ponge e Celan: um diálogo, 117
Rosa no inferno, 118
Para Ruth Lilly, 119
O improvável, 120
Tudo, 121
Viver a vida, 122
Para Gilberto Mendes, 123
Morte e vida do nada, 124
A morte de Takao Kusuno, 125
Ontologia e signo:, 126
Beckett para crianças, 127
Fim do filme, 128
Titanic world, 129
A morte de Ulisses, 130
Perto do centro, 131
Words, 132
Velocidade máxima, 133
No espelho, 134
João Cabral pensando em Orides Fontela, 135
Caro enigma, 136
Conclusão, 137
Na morte, 138
Macedonio Fernández no Congresso Etéreo, 139
Pequenas notas sobre 'Com a águia' de Paul Klee (à maneira de Benn), 140
O gesto, 141
Cioran para crianças, 142
Na névoa com Nuno Ramos, 143
A corrupção de tudo, 144
Os prazeres e os dias, 145
O apocalipse, 146

IV. Esse invisível fantasma

Carta para a morte, 150
A alma, a morte e a paisagem, 151

Mulholland Drive, 152
A vida, 153
Meditação sobre o tempo, 154
Kafka para adolescentes, 155
Heidegger conversa com Drummond, 156
Aqui, 157
A árvore, 158
V. Autobiografia total & outros poemas
O erro lúcido, 160
Autobiografia total, 161
A resposta, 162
O fantasma invisível, 163
Logo não será mais a Terra, 164
Auto de fé, 165
A necessidade, 166
Auroras roubadas, 167
Auroras roubadas 2, 168
O Evangelho, 169
O embate, 170
O tempo, 171
Canção do sonho para João Gilberto, 172
A possibilidade?, 173
Nadificação, 174
Confissões, 175
O quadro, 176
Diálogos com meu clone-fantasma 1, 177
A indesejada, 179
Autobiografia total, 180
Salmo a Koré, 181
Carta a Rimbaud, 182
Meditação sobre o tempo, 183
O instante, 185

RETORNAREMOS DAS CINZAS PARA SONHAR COM O SILÊNCIO

Conversando com Emily Dickinson e Wislawa Szymborska, **191**

De um comentário de Maurício Salles Vasconcelos sobre ervas loucas de Alan Resnais, **194**

Lá fora. **195**

O rei da voz, **196**

A segunda morte de Helberto Helder, **198**

Blues para mim mesmo, **204**

Blues para o Facebook, **206**

Sobre a morte de Paul Celan, **208**

Do grão dos salmos, **210**

Salmo do retorno, **211**

O céu no fundo do mar: seu nome, **212**

No silêncio da insônia com Glauber roubando a aura de um poema de H.M.E., **213**

Ex-sintra, **216**

No ex-Brasil (Xingu interior destroçado), **217**

Veredito, **218**

Conversando com Emily Dickinson, **220**

Sobre o tempo, **222**

Terceira oração laica, **223**

Primeira oração laica, **224**

A luz era, **225**

Twitter blues:, **226**

E siga esta ária-   a dos aforismos-nuvem, **228**

Cosmogramas — Autobiografia impessoal, **232**

A-diálogo, **238**

Play, **240**

Para William Blake, **243**

La Tendresse*, **244**

Salve infinito ou a morte de Clarice Lispector, **250**

Nuevas revelaciones del principe del fuego, **258**

COM O DAIMON NO CONTRAFLUXO

Ô Sagarbha no caminho do Sabija-Samadhi, 267
Com Luís Miguel Nava, 268
A fusão do um, 271
Edward Said ouve a pergunta do anjo, 272
Conversando com Roberto Piva e Francisco Carlos sobre as forças, 274
Recado do anjo para aquela que segurava as flores diante da tropa, 276
Meu nome é nuvem (Urchatz Gaza), 278
Blake in love, 286
Discurso da rosa de Rilke ouvido na Cracolândia, 287
Como ser o negro ou a matéria escura, 289
Airbag, 310
Da presença, 311
Na casa amarela, 313
Da infiltração ou Alexander Sokurov conversa com Andrei Tarkovski sobre a metáfora da mancha na parede, dentro de um sonho de Peter Sloterdijk, 314
Do nascimento, 317
Milagre dos peixes, 319
Depois não será a Terra, 320
O poema contra o poeta, 321
A morte de Jorge Luís Borges, 324
Uma história sufi, 326
Dísticos para Pascal, 328
No Parque Anilinas com Philippe Sollers, 330
Com Orides Fontela, 331
Dois ônibus se cruzam em sonho, numa dimensão paralela, 332
Para a rosa transparente, 333
Uma valsa abstrata para Gilberto Mendes, com Tom Jobim ao piano, 334
Locutor dentro do cérebro:, 336
Mishima dirigindo a si mesmo no filme Patriotismo, 337
Yves Bonnefoy coça o nariz, olha para o teto e depois começa a falar, com um visível incômodo, como se estivesse caindo pó de cal em sua cabeça:, 338

Sem senhas para as cinzas na água, 339
Carta-oração, 342
E sempre haverá a demanda do não-eu em algum lugar de mundo nenhum, 343
Dois pássaros conversam, 349
O anti-Ulysses, 351
E eis que somos o transe da Terra, 352
Do amor absoluto, 353
Última carta para Ana Cristina Cesar, 355
Rimbaud encontra Lou Reed, 357
Júpiter Maçã encontra William Blake, 359
Dos corpos no corpo, em vossa hora, 362
Do amor ontológico, 365

JAHA ÑADE ÑAÑOMBOVY'A

A rainha do fogo invisível
Maytreya, 374
Stalker, 374
Artemísia, 375
Derrida, 375
Rancière, 376
Radiohead, 376
Nadabrahma, 377
Chet Baker, 377
Harar, 378
Rolnik, 378
Heidegger, 379
Sloterdijk, 379
Bachelard, 380
Thom Andersen, 380
O Djinn, 381
Campos de Carvalho, 381
Hakim Bey em Eldorado, 382
Sobre alguns fragmentos de Novalis, 386

O mundo roda o louco, 388
A morte de David Bowie, 392
O enforcado vê o sol, 393
Ailton Krenak conversa com Casé Tupinambá, 397
No congresso oceânico das mulheres do povo, 398
De Gurdjief e do que ele pensou, 399
Potestade e pássaro
Aforismos & adágios, 401
O vazio perfeito
Do monólogo de Ártemis, 416
O que foi narrado pelo gato-maracujá, 418
Stalker: notas, 421
Aqui que é imperceptível é o que deve ser visto, 424
A vida ama o mundo porque o andrógino está em tudo, 425
Água é terra sonhando, o mar vem, 432
E aí, viajante querubínico, quer dar um pega?, 434
Entre a beleza e a verdade, prefira a beleza, 436
O tao de Espinosa, 438
Hierofania de um sentido para a mudança, 439
O pajé atravessa os escombros, 440
Não existe segunda via, 441
João Gilberto ou como sair do tempo, 442
Anansi blues, 443
Sokurov fala sobre Stalker, 444
Carta do rio Anhanguera aos moradores da cidade de São Paulo, 447
O voo interrompido, 448
Eu, Vicente de Carvalho, 449
Pax in Scherzo, 452
Novas revelações do príncipe do fogo, 453
Como poesia pagã, 457
De Vladimir Maiakovski no instante de sua morte, 459
Devir Parque Augusta ou o fantasma de Guattari derrubando os tapumes ou as árvores nos dirão o que fazer, 462
Conclusão, 466

INÉDITOS E DISPERSOS

A imitação de Ângelus Silesius, 471

No ultrassonho, 472

Primeira classe (Vagas), 473

O tapete de Paradjanov. 476

Uma conversa infinita onde Espinosa, o africano, explica as estratégias insurrecionais do jaguar-orquídea, 481

o poema contra o poeta

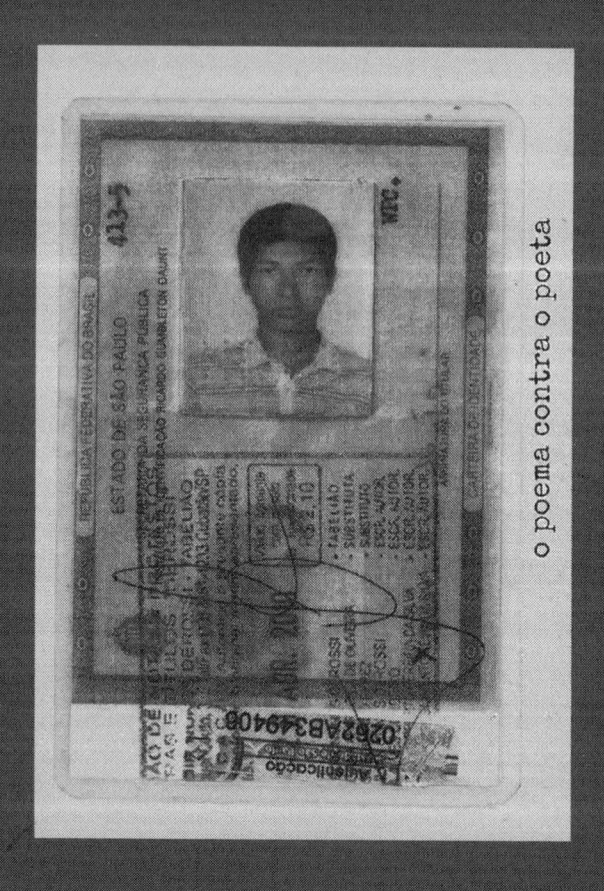

Impresso em papel pólen 80g/m²,
tipografia Nexus, no verão de 2019.